Nar Cenn

Güç Dolu Nar İçeren Lezzetli Tarifler Koleksiyonu. Damak tadınıza hitap edecek 100'den fazla Tatlı ve Tuzlu Yemekle Bu Süper Yemeğin Çok Yönlülüğünü Keşfedin

Eren Koç

İÇİNDEKİLER

GİRİİŞ

Nar, antioksidanlar, vitaminler ve minerallerle dolu bir süper besindir ve yüzyıllardır çeşitli kültürlerde sağlığa faydaları için kullanılmıştır. Peki bu meyvenin mutfakta da inanılmaz derecede çok yönlü kullanılabileceğini biliyor muydunuz? Tatlıdan tuzluya, narın sulu taneleri ve keskin suyu her yemeğe lezzet ve besleyicilik katabilir.

Bu yemek kitabı, canlandırıcı salatalardan smoothie'lere, leziz tatlılardan kokteyllere kadar narın eşsiz lezzetini ve besleyiciliğini sergileyen 100'den fazla tarif içeriyor. Nar pekmezini, suyunu, tanelerini ve tohumlarını yemeklerinizde kullanmanın yeni yollarını keşfedin ve bu meyvenin tarihini ve sağlığa faydalarını öğrenin.

İster nar tutkunu olun ister diyetinize daha fazla bitki bazlı gıda katmak isteyin, bu yemek kitabı size mutfakta yaratıcı olmanız ve bu olağanüstü meyvenin birçok lezzetini ve faydalarını keşfetmeniz için ilham verecektir. Bu Nar Yemek Kitabı'ndaki leziz tariflerle yemeklerinize biraz "pop" eklemeye hazır olun.

KAHVALTI

1. Flower Power Brezilya Açaí Kasesi

Yapar: 1

İÇİNDEKİLER

AÇAÍ İÇİN

- 200g dondurulmuş açaí
- ½ muz, dondurulmuş
- 100 ml hindistan cevizi suyu veya badem sütü

TOPLAMLAR

- Tahıl karışımından oluşan tatlı
- Yenilebilir çiçekler
- ½ muz, doğranmış
- ½ yemek kaşığı çiğ bal
- Nar taneleri
- Rendelenmiş Hindistan cevizi
- Antep fıstığı

TALİMATLAR:

a) Açaí'nizi ve muzunuzu bir mutfak robotuna veya karıştırıcıya ekleyin ve pürüzsüz hale gelinceye kadar karıştırın.

b) Makinenizin gücüne bağlı olarak, kremsi hale getirmek için biraz sıvı eklemeniz gerekebilir. 100 ml ile başlayın ve gerektiği kadar fazlasını ekleyin.

c) Bir kaseye dökün, malzemelerinizi ekleyin ve keyfini çıkarın!

2. Narlı Yulaf Ezmesi

Yapar: 2

İÇİNDEKİLER

- 1 su bardağı normal yulaf
- 2 Su bardağı badem sütü
- ¼ çay kaşığı vanilya özü
- 6 yemek kaşığı nar taneleri
- ¼ çay kaşığı öğütülmüş tarçın
- Akçaağaç şurubu dökün

TALİMATLAR:

a) Badem sütünü düşük kaynama noktasına getirin.
b) Yulaf ekleyin, karıştırın ve ısıyı düşük-orta sıcaklığa düşürün.
c) 5 ila 10 dakika pişirin.
d) Vanilya ve tarçını ekleyip karıştırın.
e) 2 kasede servis yapın.
f) Üzerine nar taneleri ve biraz akçaağaç şurubu serpin.

3. Narlı-Bademli Tost

Yapar: 2

İÇİNDEKİLER

- 2 yemek kaşığı badem ezmesi
- 2 dilim tam tahıllı ekmek, kızartılmış
- 3 yemek kaşığı nar taneleri
- 2 çay kaşığı kızarmış, hafif tuzlu kabak çekirdeği
- 1 çay kaşığı saf akçaağaç şurubu

TALİMATLAR:

a) Her tost parçasının üzerine 1 yemek kaşığı badem ezmesi sürün.

b) Nar taneleri ve biberleri eşit şekilde serpin. İstenirse şurubu gezdirin.

4. Narlı Muzlu Krep

Yapım: 2 porsiyon

İÇİNDEKİLER

- 100g yulaf
- 100 gr nar taneleri
- 1 olgun muz
- 1 bütün yumurta
- ½ çay kaşığı kabartma tozu
- Tutam tuzu
- Dash vanilya özü
- Hindistan cevizi yağı pişirmek için

TALİMATLAR:

a) Krep hamurunu hazırlamak için, nar taneleri ve hindistancevizi yağı dışındaki tüm malzemeleri Ninja karıştırıcınızda birleştirin ve pürüzsüz bir hamur elde etmek için karıştırın.

b) Yapışmaz bir tavada biraz hindistancevizi yağını ısıtın ve orta ateşe getirin.

c) Karışımdan biraz dökün ve üzerine birkaç nar tanesi serpin ve yüzeyde kabarcıklar oluşana kadar pişirin. Kalan karışım için bu işlemi tekrarlayın.

d) Kreplerinizi istifleyin ve en sevdiğiniz malzemeleri ekleyin.

5. Yaban Mersinli Narlı Kahvaltı Parfesi

Yapar: 1

İÇİNDEKİLER

- Sade yağsız Yunan yoğurdu
- Bal
- Yaban mersini
- Nar taneleri
- Tahıl karışımından oluşan tatlı

TALİMATLAR:

a) Parfenin dışarıdan görünmesini istiyorsanız, parfeyi servis edeceğiniz bardağa veya kaseye küçük bir miktar bal dökün.

b) Bir kaşık yoğurt ekleyin ve üstüne birkaç yaban mersini, nar çekirdeği ve bir kaşık dolusu granola ekleyin.

c) Bir kaşık dolusu yoğurt daha ekleyin, üzerine biraz daha bal ekleyin ve üzerine daha fazla yaban mersini, nar çekirdeği ve granola ekleyin. Servis tabağınızı dolduracak kadar katlayabilirsiniz.

d) Hemen servis yapın veya yemeye hazır olana kadar soğuk tutun.

6. Kırmızı kadife yulaf ezmesi

Yapım: 6

İÇİNDEKİLER

- 1 ½ su bardağı yulaf ezmesi
- 1 bardak Ayran
- 2 ½ su bardağı süt
- 2 Yemek Kaşığı Şeker
- 1 ½ yemek kaşığı kakao tozu
- ¼ çay kaşığı tuz
- 2 ila 3 damla kırmızı gıda boyası
- 1 çay kaşığı vanilya özü

TOPLAMLAR

- Nar taneleri
- Çikolata parçaları
- Tercih edilen meyveler
- Fındık

TALİMATLAR

a) Tencereye süt, şeker, tuz, vanilya özü ve kakao tozu ekleyin
b) Karıştırın ve ısıyı orta seviyeye getirin.
c) Yulafları süt-kakao karışımına ekleyin.
d) Yiyecek rengini ekleyin ve tamamen pişene kadar orta ateşte pişirin.
e) Tamamen pişmesi yaklaşık 6 dakika sürer. Yanmayı önlemek için sürekli karıştırın.
f) Daha fazla süt ve tercih edilen malzemelerle servis yapın.

7. Amaranth kinoa lapası

1 yapar

İÇİNDEKİLER

- 85 gr kinoa
- 70 gr amaranth.
- 460 mi su
- 115 ml şekersiz soya sütü
- 1/2 çay kaşığı vanilya ezmesi
- 15 gr badem ezmesi
- 30 ml saf akçaağaç şurubu
- 10 gr çiğ kabak çekirdeği
- 10 gr nar çekirdeği

TALİMATLAR

a) Kinoa, amaranth ve suyu bir karıştırma kabında birleştirin.

b) Orta-yüksek ateşte kaynatın.

c) Isıyı en aza indirin ve tahılları düzenli olarak karıştırarak 20 dakika pişirin. Süt ve akçaağaç şurubunu ekleyin.

d) 6-7 dakika kısık ateşte pişirin. Ateşten alın ve badem yağı ve vanilya özünü ekleyerek karıştırın.

e) Nar taneleri ve kabak çekirdeği ile süsleyin.

8. Nar ve Fereke Kahvaltı Tabbouleh Kaseleri

4 kişilik

- ¾ bardak (125 g) kırık freekeh
- 2 su bardağı (470 ml) su
- İnce deniz tuzu ve taze çekilmiş karabiber
- 1 gevrek elma, çekirdeği çıkarılmış ve doğranmış, bölünmüş
- 1 su bardağı (120 gr) nar taneleri
- ½ su bardağı (24 gr) kıyılmış taze nane
- 1 yemek kaşığı (15 ml) sızma zeytinyağı
- 1½ yemek kaşığı (23 ml) portakal çiçeği suyu
- 2 su bardağı (480 gr) sade Yunan yoğurdu
- Kavrulmuş tuzsuz badem, doğranmış

1 Freekeh'i, suyu ve bir tutam tuzu orta boy bir tencerede birleştirin.Kaynatın, ardından ısıyı en aza indirin ve ara sıra karıştırarak, tüm sıvı emilene ve freekeh yumuşayana kadar 15 dakika pişirin. Ateşten alın, bir kapakla örtün ve yaklaşık 5 dakika buharda pişirin. Freekeh'i bir kaseye aktarın ve tamamen soğutun.
2 Freekeh'e elmanın yarısını ve narı, naneyi, zeytinyağını ve birkaç öğütülmüş biberi ekleyin ve iyice karıştırın.
3 Portakal çiçeği suyunu iyice birleşene kadar yoğurda karıştırın.
4 Hizmet etmek için bölüştürünkaseler arasında freekeh. Üzerine portakal kokulu yoğurt, kalan elma ve bademleri ekleyin.

9. Maple-Masala Kış Kabağı Kahvaltı Kaseleri

4 kişilik

- 2 orta boy kabak
- 4 çay kaşığı (20 gr) Hindistan cevizi yağı
- 1 yemek kaşığı (15 ml) akçaağaç şurubu veya esmer şeker
- 1 çay kaşığı (2 gr) garam masala
- Kaliteli Deniz tuzu
- 2 su bardağı (480 gr) sade Yunan yoğurdu
- Tahıl karışımından oluşan tatlı
- Goji dutları
- Nar taneleri
- Doğranmış cevizler
- Kavrulmuş kabak çekirdeği
- Fıstık ezmesi
- Kenevir tohumu

1 Fırını önceden 375°F'ye (190°C veya gaz işareti 5) ısıtın.
2 Balkabağını ikiye bölünkökten tabana. Tohumları çıkarın ve atın. Her iki yarının etini yağ ve akçaağaç şurubu ile fırçalayın ve ardından garam masala ve bir tutam deniz tuzu serpin. Kabağı, kenarlı bir fırın tepsisine kesik tarafı aşağı bakacak şekilde yerleştirin. Yumuşak olana kadar 35 ila 40 dakika pişirin.
3 Kabağı ters çevirin ve hafifçe soğutun.
4 Servis yapmak için kabakların her yarısını yoğurt ve granola ile doldurun. Üstüne goji meyveleri, nar taneleri, cevizler ve kabak çekirdeği ekleyin, üzerine fındık ezmesi sürün ve kenevir tohumu serpin.

MEZELER

10. Avokado ve Nar Nigiri

Yapım: 7 Porsiyon

İÇİNDEKİLER

- 1½ bardak Geleneksel Suşi pirinci
- 1 yemek kaşığı nar pekmezi
- 1 çay kaşığı Ponzu Sos
- ½ avokado, 16 ince dilime kesilmiş
- 1 sayfa nori
- 2 çay kaşığı nar taneleri

TALİMATLAR:

a) Nar pekmezi ve Ponzu Sosunu bir kasede karıştırın.

b) Parmak uçlarınızı suya batırın ve avuçlarınızın üzerine biraz sıçratın.

c) Yaklaşık 2 yemek kaşığı kadar ceviz büyüklüğünde hazırlanmış Suşi Pirincini elinize sıkın ve düzgün dikdörtgen bir pirinç yatağı oluşturun.

d) Nori yaprağından çapraz olarak 8 şerit kesin.

e) Kalan noriyi başka bir kullanım için ayırın. Her bir pirinç yatağının üzerine 2 avokado dilimi koyun.

f) Bunları bir nori şeridi ile yerine sabitleyin.

g) Servis yapmak için parçaları servis tabağına dizin.

h) Her bir parçanın üzerine nar karışımından bir miktar kaşıkla dökün ve üzerine birkaç nar tanesi ekleyin.

11. Hardallı Mikroslu Nohut Blinisi

Yapar: 2

İÇİNDEKİLER

BLINIS

- 1 su bardağı nohut unu
- 1 yumurta
- ½ bardak su
- 1 yemek kaşığı zeytinyağı
- 1 çay kaşığı tuz
- 2 yeşil soğan, doğranmış

AVOKADO KREM PEYNİR

- 2 yemek kaşığı yağsız krem peynir
- ½ avokado
- 1 yeşil soğan, doğranmış
- 1 çay kaşığı tuz
- ½ limon suyu

TOPLAMLAR

- 1 Avuç Hardal Yeşilliği
- Avokado
- İsviçre peyniri
- Nar taneleri

TALİMATLAR:

a) Bliniyi hazırlamak için 1 yumurtayı, ½ su bardağı suyu, doğranmış yeşil soğanı ve zeytinyağını bir karıştırma kabında çırpın.

b) Nohut unu, tuz ve karabiberi ayrı bir kapta birleştirin. Islak karışımı ekleyin ve tamamen birleşene kadar çırpın.

c) Karışımdan 2 yemek kaşığı yapışmaz tavanın ortasına dökün ve orta-yüksek ateşte ısıtın. Karışımı ters çevirmeden önce karışımın krep veya blini halinde katılaşması için en az 5 dakika bekleyin.

d) Ters çevirin ve sertleşene ve üzerinde küçük kabarcıklar oluşana kadar 3 dakika daha pişirin.

e) Avokado krem peynir malzemelerini bir karıştırma kabında birleştirin.

f) Servis etmek için 1 blinin üzerine avokado krem peynirini sürün ve üzerine mikro hardal yeşillikleri ve nar tanelerini ekleyin.

12. Nar Çatalı

Yapım: 3 Bardak

İÇİNDEKİLER

- 2 nar, çekirdekleri çıkarılmış
- 1 çay kaşığı siyah tuz

TALİMATLAR:

a) Her şeyi karıştırın.

b) Eğlence.

13. Narlı Cevizli Meze

Yapım: 6

İÇİNDEKİLER

- 8 ons yumuşatılmış krem peynir
- ½ su bardağı nar taneleri
- ½ bardak kızarmış ve doğranmış ceviz
- 1 yemek kaşığı doğranmış taze biberiye
- ¼ bardak bal

TALİMATLAR

a) Servis tabağına yumuşatılmış krem peyniri ekleyin.

b) Nar tanelerini, cevizleri ve taze biberiyeyi serpin.

c) Bal ile gezdirin.

d) Kraker, kızarmış baget dilimleri veya elma dilimleri ile servis yapın.

14. Soğan dolması

Yapar: YAKLAŞIK 16 SOĞAN DOLMASI

İÇİNDEKİLER

- 4 büyük soğan (toplamda 2 lb / 900 g, soyulmuş ağırlık) yaklaşık 1⅔ bardak / 400 ml sebze suyu
- 1½ yemek kaşığı nar pekmezi
- tuz ve taze çekilmiş karabiber
- İSTİFLEME
- 1½ yemek kaşığı zeytinyağı
- 1 su bardağı / 150 gr ince doğranmış arpacık soğan
- ½ bardak / 100 gr kısa taneli pirinç
- ¼ bardak / 35 gr çam fıstığı, ezilmiş
- 2 yemek kaşığı doğranmış taze nane
- 2 yemek kaşığı kıyılmış düz yapraklı maydanoz
- 2 çay kaşığı kuru nane
- 1 çay kaşığı öğütülmüş kimyon
- ⅛ çay kaşığı öğütülmüş karanfil
- ¼ çay kaşığı öğütülmüş yenibahar
- ¾ çay kaşığı tuz
- ½ çay kaşığı taze çekilmiş karabiber
- 4 dilim limon (isteğe bağlı)

TALİMATLAR

a) Soğanların üst ve kuyruk kısımlarını yaklaşık 0,5 cm soyun ve kesin, doğranmış soğanları bol suyla büyük bir tencereye koyun, kaynatın ve 15 dakika pişirin. Süzün ve soğuması için bir kenara koyun.
b) İç harcını hazırlamak için orta boy bir tavada zeytinyağını orta-yüksek ateşte ısıtın ve arpacık soğanları ekleyin. Sık sık karıştırarak 8 dakika soteleyin, ardından limon dilimleri hariç kalan tüm malzemeleri ekleyin. Isıyı en aza indirin ve 10 dakika kadar pişirmeye ve karıştırmaya devam edin.
c) Küçük bir bıçak kullanarak, soğanın üst kısmından alt kısmına kadar, ortasına kadar uzanan uzun bir kesim yapın, böylece her soğan katmanında yalnızca bir yarık geçer. Çekirdeğe ulaşana kadar soğan katmanlarını birbiri ardına yavaşça ayırmaya

başlayın. Bazı katmanlar soyulma sırasında biraz yırtılırsa endişelenmeyin; bunları hâlâ kullanabilirsiniz.

d) Bir elinize bir kat soğan tutun ve soğanın yarısına yaklaşık 1 çorba kaşığı pirinç karışımını kaşıkla, dolguyu açıklığın bir ucuna yakın bir yere yerleştirin. Daha fazla doldurmaya çalışmayın çünkü güzel ve sıkı bir şekilde sarılması gerekiyor. Soğanın boş tarafını dolmanın üzerine katlayıp sıkıca sarın, böylece pirinç birkaç kat soğanla kaplanacak ve ortası hava kalmayacak. Kapağı olan orta boy bir tavaya, dikiş tarafı aşağı bakacak şekilde yerleştirin ve kalan soğan ve pirinç karışımıyla devam edin. Soğanları tavaya yan yana dizin, böylece hareket edecek yer kalmaz. Boşlukları soğanın doldurulmamış kısımlarıyla doldurun. Nar pekmezi ile birlikte soğanların dörtte üçünü kaplayacak kadar et suyu ekleyin ve ¼ çay kaşığı tuzla baharatlayın.

e) Tavayı kapatın ve mümkün olan en düşük ateşte, sıvı buharlaşana kadar 1½ ila 2 saat pişirin. Dilerseniz ılık veya oda sıcaklığında limon dilimleri ile servis yapın.

15. Közlenmiş patlıcan ve limon turşusu ile balık & kapari kebapları

Yapım: 12 KEBAP

İÇİNDEKİLER

- 2 orta boy patlıcan (toplamda yaklaşık 1⅔ lb / 750 g)
- 2 yemek kaşığı Yunan yoğurdu
- 1 diş sarımsak, ezilmiş
- 2 yemek kaşığı kıyılmış düz yapraklı maydanoz
- Kızartmak için yaklaşık 2 yemek kaşığı ayçiçek yağı
- 2 çay kaşığıHızlı Turşu Limonlar
- tuz ve taze çekilmiş karabiber
- BALIK IZGARA
- 14 oz / 400 g mezgit balığı veya diğer beyaz balık filetosu, derisi alınmış ve kılçıkları çıkarılmış
- ½ bardak / 30 gr taze ekmek kırıntısı
- ½ büyük serbest gezinen yumurta, dövülmüş
- 2½ yemek kaşığı / 20 gr kapari, doğranmış
- ⅔ oz / 20 gr dereotu, doğranmış
- 2 yeşil soğan, ince doğranmış
- 1 limonun rendelenmiş kabuğu
- 1 yemek kaşığı taze sıkılmış limon suyu
- ¾ çay kaşığı öğütülmüş kimyon
- ½ çay kaşığı öğütülmüş zerdeçal
- ½ çay kaşığı tuz
- ¼ çay kaşığı öğütülmüş beyaz biber

TALİMATLAR

a) Patlıcanlarla başlayın. Patlıcanın etini talimatlara göre yakın, soyun ve boşaltın.Sarımsak, limon ve nar taneleri ile yanmış patlıcanyemek tarifi. İyice süzüldükten sonra eti irice doğrayın ve bir karıştırma kabına koyun. Yoğurt, sarımsak, maydanoz, 1 tatlı kaşığı tuz ve bol karabiberi ekleyin. Bir kenara koyun.

b) Balıkları yalnızca yaklaşık ⅙ inç / 2 mm kalınlığında çok ince dilimler halinde kesin. Dilimleri küçük küpler halinde kesin ve orta boy bir karıştırma kabına koyun. Kalan malzemeleri ekleyin ve iyice karıştırın. Ellerinizi nemlendirin ve karışımı, her biri yaklaşık 1½ oz / 45 g olacak şekilde 12 köfte veya parmak şeklinde şekillendirin. Bir tabağa dizin, streç filmle örtün ve buzdolabında en az 30 dakika bekletin.

c) Tabanı ince bir tabaka oluşturacak şekilde kızartma tavasına yeterli miktarda yağ dökün ve orta-yüksek ateşte yerleştirin. Kebapları her parti için 4 ila 6 dakika boyunca gruplar halinde pişirin, her tarafı renklenip tamamen pişene kadar çevirin.

d) Kebapları hala sıcakken, yanmış patlıcan ve az miktarda salamura limonla birlikte porsiyon başına 3 adet olacak şekilde servis edin (dikkatli olun, limonlar baskındır).

ANA DİL

16. Narlı Kişniş-Nane Soslu Kuzu Eti

Yapım: 6

İÇİNDEKİLER

- 1½ çay kaşığı koşer tuzu
- ½ su bardağı nar taneleri
- 3 adet kuzu incik, doğranmış
- 3 su bardağı dilimlenmiş sarı soğan
- 1 diş sarımsak
- ⅓ bardak tuzsuz sığır eti suyu
- 2 yemek kaşığı sıcak su
- ½ fincan gevşek paketlenmiş taze nane yaprakları
- ¼ fincan sızma zeytinyağı
- ½ bardak gevşek paketlenmiş taze kişniş yaprağı
- 2 çay kaşığı öğütülmüş zerdeçal
- 2 yemek kaşığı elma sirkesi

TALİMATLAR:

a) Kuzu inciklerini zerdeçal ve 1 çay kaşığı tuzla eşit şekilde serpin.

b) Kuzu inciklerini bir Crockpot'a koyun.

c) Et suyunu ve soğanı ekleyin.

d) 7½ saat boyunca yavaş pişirin.

e) Nane ve kişnişi küçük bir mutfak robotuna koyun ve sıcak suyu ekleyin.

f) Yağı, sirkeyi, sarımsağı ve kalan tuzu eklemeden önce bitki kombinasyonunu pürüzsüz hale gelinceye kadar işleyin.

g) Kuzu kemiklerini atın, nar taneleriyle birlikte servis yapın ve otlu karışımı etin üzerine gezdirin.

17. Darı, Pirinç ve Nar

Yapım: 2 Porsiyon

İÇİNDEKİLER

- 2 su bardağı ince pohe
- 1 su bardağı patlamış darı veya pirinç
- 1 su bardağı kalın ayran
- ½ bardak nar parçaları
- 5 - 6 köri yaprağı
- ½ çay kaşığı hardal tohumu
- ½ çay kaşığı kimyon tohumu
- ⅛ çay kaşığı asafoetida
- 5 çay kaşığı yağ
- Tadımlık şeker
- Tatmak için tuz
- Taze veya kurutulmuş hindistan cevizi – kıyılmış
- Taze kişniş yaprakları

TALİMATLAR:

a) Yağı ısıtın ve ardından hardal tohumlarını ekleyin.

b) Patladığında kimyon tohumlarını, asafoetida'yı ve köri yapraklarını ekleyin.

c) Pohe'yi bir kaseye yerleştirin.

d) Yağ baharat karışımını, şekeri ve tuzu karıştırın.

e) Pohe soğuduğunda yoğurt, kişniş ve hindistancevizi ile birleştirin.

f) Kişniş ve hindistan ceviziyle süsleyerek servis yapın.

18. Mason kavanoza pancar, nar ve brüksel lahanası

Yapım: 4

İÇİNDEKİLER

- 3 orta boy pancar
- 1 yemek kaşığı zeytinyağı
- Tadına göre kaşer tuzu ve taze çekilmiş karabiber
- 1 bardak farro
- 4 su bardağı bebek ıspanak veya lahana
- 2 su bardağı Brüksel lahanası, ince dilimlenmiş
- 3 clementines, soyulmuş ve parçalara ayrılmış
- ½ bardak ceviz, kızartılmış
- ½ bardak nar taneleri

BAL-DIJON KIRMIZI ŞARAP VINAIGRETTE

- ¼ fincan sızma zeytinyağı
- 2 yemek kaşığı kırmızı şarap sirkesi
- ½ arpacık soğanı, kıyılmış
- 1 yemek kaşığı bal
- 2 çay kaşığı tam tahıllı hardal
- Tadına göre kaşer tuzu ve taze çekilmiş karabiber

TALİMATLAR:

a) Fırını önceden 400 derece F'ye ısıtın. Bir fırın tepsisini folyoyla kaplayın.

b) Pancarları folyoya yerleştirin, üzerine zeytinyağı gezdirin ve tuz ve karabiberle tatlandırın.

c) Bir kese oluşturmak için folyonun 4 tarafını da katlayın. Çatal yumuşayana kadar 35 ila 45 dakika pişirin; soğumaya bırakın, yaklaşık 30 dakika.

d) Temiz bir kağıt havlu kullanarak pancarları ovalayarak kabuklarını çıkarın; lokma büyüklüğünde parçalar halinde doğrayın.

e) Farro'yu paketin üzerindeki talimatlara göre pişirin ve soğumaya bırakın.

f) Pancarları 4 adet geniş ağızlı, kapaklı cam kavanozlara bölün. Üzerine ıspanak veya lahana, farro, Brüksel lahanası, clementines, ceviz ve nar taneleri ekleyin.

VINAIGRETTE İÇİN:

g) Zeytinyağı, sirke, arpacık soğanı, bal, hardal ve 1 yemek kaşığı suyu birlikte çırpın; tatmak için tuz ve karabiber ekleyin. Örtün ve 3 güne kadar soğutun.

h) Servis yapmak için her bir kavanoza salata sosunu ekleyin ve çalkalayın. Derhal servis yapın.

19. Narlı ve Kinoalı Somon

yapar: 4 porsiyon

İÇİNDEKİLER

- 4 somon filetosu, derisiz
- ¾ bardak nar suyu, şekersiz
- ¼ bardak portakal suyu, şekersiz
- 2 yemek kaşığı portakal marmelatı/reçeli
- 2 yemek kaşığı sarımsak, kıyılmış
- Tatmak için biber ve tuz
- 1 bardak kinoa, pişmiş
- Birkaç dal kişniş

TALİMATLAR:

a) Orta boy bir kapta nar suyu, portakal suyu, portakal marmelatı ve sarımsağı birleştirin. Tuz ve karabiberle tatlandırıp tadını tercihinize göre ayarlayın.

b) Fırını 400F'ye önceden ısıtın. Fırın tepsisini yumuşatılmış tereyağıyla yağlayın. Somonu, filetolar arasında 1 inç boşluk bırakarak fırın tepsisine yerleştirin.

c) Somonu 8-10 dakika pişirin. Daha sonra tavayı dikkatlice fırından çıkarın ve nar karışımını dökün. Somonun üst kısmının karışımla eşit şekilde kaplandığından emin olun. Somonu tekrar fırına koyun ve 5 dakika daha veya tamamen pişene ve nar karışımı altın rengi bir sır haline gelinceye kadar pişirin.

d) Somon pişerken kinoayı hazırlayın. 2 bardak suyu orta ateşte kaynatıp kinoayı ekleyin. 5-8 dakika veya suyu çekilene kadar pişirin. Ateşi söndürün, kinoayı bir çatalla kabartın ve kapağını tekrar açın. Kalan sıcaklığın kinoayı 5 dakika daha pişirmesine izin verin.

e) Nar soslu somonu servis tabağına aktarın ve üzerine biraz taze doğranmış kişniş serpin. Somonu kinoa ile servis edin.

20. Nar Soslu Tatlı Patates ve Brokoli

4 ila 6 porsiyon yapar

İÇİNDEKİLER

- 3 tatlı patates, soyulmamış
- 2 su bardağı hafif buharda pişirilmiş brokoli çiçeği
- 1⁄4 inçlik dilimler halinde kesilmiş 3 kereviz kaburgası
- 4 yeşil soğan, kıyılmış
- 2 yemek kaşığı kıyılmış taze maydanoz
- 1⁄4 bardak kremalı fıstık ezmesi
- 1 çay kaşığı kıyılmış taze zencefil
- 1⁄4 bardak üzüm çekirdeği yağı
- 1⁄4 bardak taze limon suyu
- 1⁄2 çay kaşığı şeker
- Tuz ve taze çekilmiş karabiber
- Garnitür için 1⁄4 bardak ezilmiş tuzsuz kavrulmuş fıstık
- Garnitür için 2 yemek kaşığı taze nar taneleri veya 1⁄4 bardak tatlandırılmış kurutulmuş kızılcık

TALİMATLAR:

a) Büyük bir tencereye tatlı patatesleri ve üzerini geçecek kadar su koyup yüksek ateşte kaynatın.

b) Isıyı orta dereceye düşürün ve yumuşayana kadar, ancak hala sert olana kadar yaklaşık 30 dakika pişirin. Süzün ve soğutun, ardından soyun ve 1⁄2 inçlik parçalar halinde kesin ve büyük bir kaseye aktarın. Brokoli, kereviz, yeşil soğan ve maydanozu ekleyin. Bir kenara koyun.

c) Küçük bir kapta fıstık ezmesini, zencefili, yağı, limon suyunu, şekeri ve damak tadınıza göre tuz ve karabiberi birleştirin. Sosu salatanın üzerine dökün ve birleştirmek için hafifçe karıştırın.

d) Fıstık ve nar taneleri ile süsleyip servis yapın.

21. Fıstık-Nar Soslu Tofu

yapar: 4 porsiyon

İÇİNDEKİLER

- 1 pound ekstra sert tofu, süzülmüş, 1⁄4 inçlik dilimler halinde kesilmiş ve preslenmiş
- Tuz ve taze çekilmiş karabiber
- 2 yemek kaşığı zeytinyağı
- 1⁄2 bardak nar suyu
- 1 yemek kaşığı balzamik sirke
- 1 yemek kaşığı açık kahverengi şeker
- 2 yeşil soğan, kıyılmış
- 1⁄2 su bardağı tuzsuz kabuklu antep fıstığı, iri doğranmış
- Tofuyu isteğe göre tuz ve karabiberle tatlandırın.

TALİMATLAR

- Büyük bir tavada yağı orta ateşte ısıtın. Gerekirse tofu dilimlerini gruplar halinde ekleyin ve her tarafı yaklaşık 4 dakika olmak üzere hafifçe kızarana kadar pişirin. Tavadan çıkarın ve bir kenara koyun.
- Aynı tavaya nar suyu, sirke, şeker ve yeşil soğanı ekleyip orta ateşte 5 dakika pişirin. Antep fıstığının yarısını ekleyin ve sos hafifçe koyulaşana kadar yaklaşık 5 dakika pişirin.
- Kızartılmış tofuyu tekrar tavaya alın ve sıcak olana kadar yaklaşık 5 dakika pişirin, kaynayan tofunun üzerine sosu kaşıkla dökün. Hemen servis yapın, üzerine kalan antep fıstığı serpin.

22. Nar Çatalı

Yapar: 3 BARDAK

İÇİNDEKİLER

1. 2 büyük nar, çekirdekleri çıkarılmış (3 su bardağı [522 g])
2. ½–1 çay kaşığı siyah tuz

TALİMATLAR:

a) Tohumları siyah tuzla karıştırın.

b) Hemen tadını çıkarın veya bir haftaya kadar buzdolabında saklayın.

23. Pekmez Sırlı Ördek Göğsü

Yapar: 3

İÇİNDEKİLER

- 2 su bardağı taze nar suyu
- 2 yemek kaşığı taze limon suyu
- 3 yemek kaşığı esmer şeker
- 1 kiloluk kemiksiz ördek göğsü
- İsteğe göre tuz ve karabiber

TALİMATLAR:

- Nar pekmezi için - orta boy bir tencereye nar suyunu, limonu ve esmer şekeri ekleyip orta ateşte kaynatın.
- Isıyı en aza indirin ve karışım kalınlaşana kadar yaklaşık 25 dakika pişirin.
- Şapkadan çıkarın ve hafifçe soğuması için bir kenara koyun.
- Bu arada ördeğin göğsüne bıçak yardımıyla kesikler atın.
- Ördek göğsünü bolca tuz ve karabiberle tatlandırın.
- Hava Fritöz Fırınının HAVA FIRIN MODU düğmesine basın ve "Havada Kızartma" modunu seçmek için kadranı çevirin.
- TIME/SLICES tuşuna basın ve pişirme süresini 14 dakikaya ayarlamak için kadranı tekrar çevirin.
- Şimdi TEMP/SHADE düğmesine basın ve sıcaklığı 400 °F'ye ayarlamak için kadranı çevirin.
- Başlatmak için "Başlat/Durdur" düğmesine basın.
- Ünite önceden ısıtıldığını gösteren bip sesi çıkardığında fırın kapağını açın.
- Ördek göğüslerini deri tarafı yukarı bakacak şekilde yağlanmış hava kızartma sepetine yerleştirin ve fırına yerleştirin.
- 6 dakika piştikten sonra ördek göğsünü çevirin.
- Pişirme süresi tamamlandığında fırının kapağını açın ve dilimlemeden önce ördek göğsünü yaklaşık 5 dakika bir tabağa koyun.
- Ördek göğsünü keskin bir bıçakla istediğiniz büyüklükte dilimler halinde kesin ve bir tabağa aktarın.
- Sıcak pekmezi gezdirip servis yapın.

24. Şenlikli Bütün Ördek

Yapar: 4-6

İÇİNDEKİLER

- 1 Bütün Ördek
- 3 yemek kaşığı dövülmüş deniz tuzu
- 3 dal kekik, yaprakları çıkarılmış
- 4 taze ahududu
- 1 çay kaşığı yağ
- Kırık karabiber

SOS

- 1 bardak Luv-a-Duck Ördek Suyu
- 1 su bardağı nar suyu
- 2 yemek kaşığı Vincotto
- ¼ bardak taze ahududu
- 2 çay kaşığı mısır unu
- 1 yemek kaşığı su Garnitür
- 1 nar, çekirdekleri çıkarılmış
- ½ bardak taze ahududu

TALİMATLAR:

- Fırını 190°C'ye önceden ısıtın.
- Ördeği akan su altında iyice durulayın. İyice boşaltın ve içini ve dışını tamamen kurulayın. Ördeği kızartma rafına yerleştirin
- Pul biber, kekik yaprağı, ahududu, yağ ve karabiberi bir kasede karıştırıp, tahta kaşığın arkasını kullanarak malzemeleri iyice karıştırın.
- Tuz karışımını hazırlanan ördeğin üzerine eşit şekilde sürün.
- Kızartma rafını tavaya yerleştirin ve ördeği önceden ısıtılmış fırında altın rengi oluncaya ve test edildiğinde suyu berrak akana kadar kızartın. Ördeği fırından çıkarın ve 10-15 dakika dinlenmeye bırakın.

SOS

- Ördek suyunu, nar suyunu, Vincotto'yu ve taze ahududuları orta boy bir tencereye koyun ve orta ateşte 3-4 dakika ısıtın. Birleşik mısır unu ve suyu ilave edin ve sıvı kaynayıp koyulaşana kadar karıştırarak ısıtın.

HİZMET ETMEK

- Geniş bir servis tabağının tabanına yarım nar tanelerini serpin, ortasına kızarmış ördeği yerleştirin ve kalan çekirdekler ve ahududularla süsleyin.
- Geleneksel kavrulmuş sebzeler ve ahududu ve nar sosuyla sıcak olarak servis yapın.

25. Kurutulmuş Kekikli İskoç Fileto Biftek

4 KİŞİLİK

İÇİNDEKİLER

- 4 x 180g İskoç fileto biftek, yağlı kesilmiş
- 2 yemek kaşığı zeytinyağı
- 1 yemek kaşığı kurutulmuş kekik yaprağı
- 1 çay kaşığı kimyon tohumu
- 1 çay kaşığı rezene tohumu
- 1 limonun kabuğu rendesi ve suyu + servis için ekstra dilimler
- 1 büyük patlıcan
- 2 x 250g paket mikrodalgada esmer pirinç ve kinoa
- 1 yemek kaşığı karamelize balzamik sirke
- 4 yadigarı domates, dilimler halinde kesilmiş
- 1 Lübnan salatalığı, doğranmış
- ¼ bardak kişniş yaprağı
- 80 gr keçi peyniri, ufalanmış
- 1 nar, çekirdekleri çıkarılmış

TALİMATLAR:

a) Patlıcanda birkaç yarık kesin ve maşa kullanarak doğrudan gaz alevinin üzerine yerleştirin (gaz aleviniz yoksa ipucuna bakın). Derisi kömürleştikçe ve patlıcan yumuşadıkça birkaç dakikada bir çevirerek 10 dakika pişirin. Tepsiye yerleştirip uzunlamasına ikiye bölün. Eti bir kasenin üzerine yerleştirilmiş bir elek içine alın ve 20 dakika boyunca süzülmesine izin verin.

b) Kömür ızgarası tavasını veya barbeküyü önceden yükseğe ısıtın. Biftekleri hafifçe yağın yarısı ile fırçalayın, baharatlayın ve üzerine kekik, kimyon, rezene ve limon kabuğu rendesi serpin. Her iki tarafı da 3 ila 4 dakika veya istediğiniz şekilde pişene kadar pişirin; baharatların sürtünme yanmasını önlemek için pişirme sırasında bifteklerin yarısını limon suyuyla fırçalayın. Biftekleri ocaktan alın, folyoyla gevşek bir şekilde örtün ve 5 dakika dinlenmeye bırakın.

c) Bu arada kinoa ve pirinci paketteki talimatlara göre hazırlayın:. Büyük bir kaseye koyun. Süzülmüş patlıcanı ince ince doğrayın ve kalan yağ, balzamik sirke ve kalan limon suyuyla birlikte kaseye ekleyin ve birleşene kadar karıştırın. Domates, salatalık, kişniş, keçi peyniri ve nar tanelerinin yarısını karıştırın. Kalan nar tanelerini baharatlayın ve üzerini süsleyin.

d) Biftekleri patlıcanlı kinoa salatası ve limon dilimleri ile servis edin.

26. Tahinli kızarmış karnabahar

Yapım: 6

İÇİNDEKİLER

- 2 su bardağı / 500 ml ayçiçek yağı
- 2 orta boy karnabahar (toplamda 2¼ lb / 1 kg), küçük çiçeklere bölünmüş
- Her biri 3 uzun parçaya bölünmüş 8 yeşil soğan
- ¾ su bardağı / 180 gr light tahin ezmesi
- 2 diş sarımsak, ezilmiş
- ¼ bardak / 15 gr düz yapraklı maydanoz, doğranmış
- ¼ bardak / 15 gr kıyılmış nane, ayrıca bitirmek için ekstra
- ⅔ su bardağı / 150 gr Yunan yoğurdu
- ¼ bardak / 60ml taze sıkılmış limon suyu ve 1 limonun rendelenmiş kabuğu
- 1 çay kaşığı nar pekmezi, ayrıca bitirmek için ekstra
- yaklaşık ¾ bardak / 180 ml su
- Maldon deniz tuzu ve taze çekilmiş karabiber

TALİMATLAR

a) Ayçiçek yağını orta-yüksek ateşte yerleştirilmiş büyük bir tencerede ısıtın. Bir çift metal maşa veya metal bir kaşık kullanarak, birkaç karnabahar çiçeğini dikkatlice yağın içine yerleştirin ve 2 ila 3 dakika pişirin, eşit şekilde renkleninceye kadar çevirin. Altın rengi kahverengi olduğunda, oluklu bir kaşık kullanarak çiçekleri süzmek üzere bir kevgir içine kaldırın. Biraz tuz serpin. Karnabaharın tamamını bitirene kadar gruplar halinde devam edin. Daha sonra yeşil soğanları gruplar halinde kızartın, ancak yalnızca 1 dakika kadar kızartın. Karnabahara ekleyin. Her ikisinin de biraz soğumasına izin verin.

b) Tahin ezmesini geniş bir karıştırma kabına dökün ve üzerine sarımsak, doğranmış otlar, yoğurt, limon suyu ve kabuğu rendesi, nar pekmezi, biraz tuz ve karabiber ekleyin. Suyu ekledikçe tahta kaşıkla iyice karıştırın. Tahin sosu, su ekledikçe koyulaşacak ve daha sonra gevşeyecektir. Çok fazla eklemeyin; koyu ama pürüzsüz, akabilir, biraz bal gibi bir kıvam elde edecek kadar ekleyin.

c) Karnabaharı ve yeşil soğanı tahine ekleyip iyice karıştırın. Baharatı tadın ve ayarlayın. Ayrıca daha fazla limon suyu eklemek isteyebilirsiniz.

d) Servis etmek için servis kasesine kaşıkla alın ve birkaç damla nar pekmezi ve biraz nane ile tamamlayın.

27. Nar Çekirdeği ile Közlenmiş Patlıcan

Yapım: 4 MEZE TABAĞININ PARÇASI OLARAK

İÇİNDEKİLER

- 4 büyük patlıcan (pişirmeden önce 3¼ lb / 1,5 kg; eti yakılıp süzüldükten sonra 2½ bardak / 550 g)
- 2 diş sarımsak, ezilmiş
- 1 limonun rendelenmiş kabuğu ve 2 yemek kaşığı taze sıkılmış limon suyu
- 5 yemek kaşığı zeytinyağı
- 2 yemek kaşığı kıyılmış düz yapraklı maydanoz
- 2 yemek kaşığı kıyılmış nane
- ½ büyük nar taneleri (½ su bardağı / toplam 80 gr)
- tuz ve taze çekilmiş karabiber

TALİMATLAR

a) Gaz ocağınız varsa, korumak için tabanını alüminyum folyo ile kaplayın ve yalnızca ocakları açıkta bırakın. Patlıcanları doğrudan orta ateşteki dört ayrı gaz ocağına yerleştirin ve kabukları yanana ve pul pul oluncaya ve etler yumuşayana kadar 15 ila 18 dakika kızartın. Ara sıra döndürmek için metal maşa kullanın. Alternatif olarak, patlıcanları birkaç yerinden bıçakla yaklaşık ¾ inç / 2 cm derinliğinde çizin ve yaklaşık bir saat boyunca sıcak bir ızgara altında bir fırın tepsisine yerleştirin. Her 20 dakikada bir çevirin ve patlayıp kırılsalar bile pişirmeye devam edin.

b) Patlıcanları ocaktan alıp biraz soğumasını bekleyin. İşlenecek kadar soğuduktan sonra, her patlıcanın kenarından bir delik açın ve yumuşak etini çıkarın, ellerinizle uzun ince şeritlere bölün. Cildi atın. Mümkün olduğu kadar fazla sudan kurtulmak için eti bir kevgir içinde en az bir saat, tercihen daha uzun süre süzün.

c) Patlıcan posasını orta boy bir kaseye koyun ve sarımsak, limon kabuğu rendesi ve suyu, zeytinyağı, ½ çay kaşığı tuz ve iyice öğütülmüş karabiber ekleyin. Karıştırın ve patlıcanın oda sıcaklığında en az bir saat marine olmasına izin verin.

d) Servis etmeye hazır olduğunuzda, baharatların çoğunu ekleyin ve baharatların tadına bakın. Servis tabağına üst üste dizin, üzerine nar tanelerini serpin ve kalan otlarla süsleyin.

28. tabbouleh

Yapar: 4 Cömertçe

İÇİNDEKİLER

- ½ su bardağı / 30 gr ince bulgur
- 2 büyük domates, olgun fakat sert (toplamda 10½ oz / 300 g)
- 1 arpacık soğan, ince doğranmış (3 yemek kaşığı / toplam 30 gr)
- 3 yemek kaşığı taze sıkılmış limon suyu ve bitirmek için biraz daha fazla
- 4 büyük demet düz yapraklı maydanoz (toplamda 5½ oz / 160 g)
- 2 demet nane (toplamda 1 oz / 30 gr)
- 2 çay kaşığı öğütülmüş yenibahar
- 1 çay kaşığı baharat karışımı (mağazadan satın alınan veyatarifi gör)
- ½ bardak / 80 ml birinci kalite zeytinyağı
- yaklaşık ½ büyük nar çekirdeği (½ bardak / toplam 70 g), isteğe bağlı
- tuz ve taze çekilmiş karabiber

TALİMATLAR

a) Bulguru ince bir süzgecin içine koyun ve içinden gelen su berrak görünene ve nişastanın çoğu çıkana kadar soğuk suyun altında tutun. Büyük bir karıştırma kabına aktarın.
b) Domatesleri 0,5 cm kalınlığında dilimler halinde kesmek için küçük bir tırtıklı bıçak kullanın. Her dilimi ¼ inç / 0,5 cm'lik şeritler halinde ve ardından zar halinde kesin. Domatesleri ve sularını, arpacık soğanı ve limon suyuyla birlikte kaseye ekleyin ve iyice karıştırın.
c) Birkaç dal maydanoz alın ve bunları sıkıca bir araya toplayın. Sapların çoğunu kesmek ve atmak için büyük, çok keskin bir bıçak kullanın. Şimdi bıçağı kullanarak sapları ve yaprakları yukarı doğru hareket ettirin, maydanozu mümkün olduğu kadar ince parçalamak için bıçağı yavaş yavaş "besleyin" ve 1/16 inç / 1 mm'den daha geniş parçaları kesmekten kaçının. Kaseye ekleyin.
d) Nane yapraklarını saplarından ayırın, birkaç tanesini sıkıca toplayın ve maydanoz gibi ince ince doğrayın; Renkleri solmaya eğilimli olduğundan onları çok fazla doğramayın. Kaseye ekleyin.
e) Son olarak yenibaharı, baharatı, zeytinyağını, varsa narı, biraz tuz ve karabiberi ekleyin. Tadına bakın ve isterseniz daha fazla tuz ve karabiber, muhtemelen biraz limon suyu ekleyin ve servis yapın.

29. Buğday Meyveleri ve Nar Pekmezli Pazı

Yapım: 4

İÇİNDEKİLER

- 1⅓ lb / 600 g İsviçre pazı veya gökkuşağı pazı
- 2 yemek kaşığı zeytinyağı
- 1 yemek kaşığı tuzsuz tereyağı
- 2 büyük pırasanın beyaz ve soluk yeşil kısımları ince dilimlenmiş (3 su bardağı / toplam 350 gr)
- 2 yemek kaşığı açık kahverengi şeker
- yaklaşık 3 yemek kaşığı nar pekmezi
- 1¼ bardak / 200 gr kabuğu soyulmuş veya kabuğu çıkarılmamış buğday meyveleri
- 2 su bardağı / 500 ml tavuk suyu
- tuz ve taze çekilmiş karabiber
- Yunan yoğurdu, servis için

TALİMATLAR

a) Küçük, keskin bir bıçak kullanarak pazıların beyaz saplarını yeşil yapraklarından ayırın. Sapları ⅜ inç / 1 cm dilimler halinde, yaprakları ise ¾ inç / 2 cm dilimler halinde dilimleyin.

b) Yağı ve tereyağını büyük, kalın tabanlı bir tavada ısıtın. Pırasayı ekleyin ve karıştırarak 3 ila 4 dakika pişirin. Pazı saplarını ekleyip 3 dakika pişirin, ardından yapraklarını ekleyip 3 dakika daha pişirin. Şekeri, 3 yemek kaşığı nar pekmezini ve buğday meyvelerini ekleyip iyice karıştırın. Et suyunu, ¾ çay kaşığı tuzu ve biraz karabiberi ekleyin, hafifçe kaynatın ve kapağı kapalı olarak kısık ateşte 60 ila 70 dakika pişirin. Bu noktada buğday al dente olmalıdır.

c) Kapağı çıkarın ve gerekirse ısıyı artırın ve kalan sıvının buharlaşmasına izin verin. Tavanın tabanı kuru olmalı ve üzerinde biraz yanmış karamel bulunmalıdır. Isıdan çıkarın.

d) Servis yapmadan önce tadın ve gerekirse daha fazla pekmez, tuz ve karabiber ekleyin; keskin ve tatlı olmasını istiyorsanız pekmezden çekinmeyin. Bir parça Yunan yoğurtuyla sıcak olarak servis yapın.

30. Narlı Kişnişli Kuzu Dolmalı Ayva

Yapım: 4

İÇİNDEKİLER

- 14 oz / 400 gr kıyma kuzu
- 1 diş sarımsak, ezilmiş
- 1 kırmızı şili, doğranmış
- ⅔ oz / 20 gr doğranmış kişniş ve süslemek için 2 yemek kaşığı
- ½ su bardağı / 50 gr ekmek kırıntısı
- 1 çay kaşığı öğütülmüş yenibahar
- 2 yemek kaşığı ince rendelenmiş taze zencefil
- 2 orta boy soğan, ince doğranmış (1⅓ bardak / toplam 220 g)
- 1 büyük serbest gezinen yumurta
- 4 ayva (toplamda 2¾ lb / 1,3 kg)
- ½ limon suyu ve 1 yemek kaşığı taze sıkılmış limon suyu
- 3 yemek kaşığı zeytinyağı
- 8 adet kakule kabuğu
- 2 çay kaşığı nar pekmezi
- 2 çay kaşığı şeker
- 2 su bardağı / 500 ml tavuk suyu
- ½ nar çekirdeği
- tuz ve taze çekilmiş karabiber

TALİMATLAR

a) Kuzu eti, sarımsak, kırmızı biber, kişniş, galeta unu, yenibahar, zencefilin yarısı, soğanın yarısı, yumurta, ¾ çay kaşığı tuz ve biraz biberle birlikte bir karıştırma kabına koyun. Elinizle iyice karıştırıp bir kenara koyun.

b) Ayvaları soyun ve uzunlamasına ikiye bölün. Kararmamaları için yarım limonun suyuyla dolu bir kase soğuk suya koyun. Çekirdeklerini çıkarmak için bir kavun kalıbı veya küçük bir kaşık kullanın ve ardından ⅔ inç / 1,5 cm'lik bir kabuk kalacak şekilde ayva yarımlarının içini boşaltın. Çıkardığınız eti saklayın. Ellerinizi kullanarak aşağıya doğru bastırarak boşlukları kuzu karışımıyla doldurun.

c) Kapağı olan geniş bir tavada zeytinyağını ısıtın. Ayva etini bir mutfak robotuna yerleştirin, iyice doğrayın ve ardından karışımı kalan soğan, zencefil ve kakule kabuklarıyla birlikte tavaya aktarın. Soğan yumuşayana kadar 10 ila 12 dakika soteleyin. Pekmezi, 1 yemek kaşığı limon suyunu, şekeri, et suyunu, ½ çay kaşığı tuzu ve biraz karabiberi ekleyip iyice karıştırın. Ayva yarımlarını, et dolgusu yukarı bakacak şekilde sosa ekleyin, ısıyı hafifçe kaynatın, tavanın kapağını kapatın ve yaklaşık 30 dakika pişirin. Sonunda ayva tamamen yumuşak, et iyi pişmiş ve sos kalın olmalıdır. Gerekirse sosu azaltmak için kapağı kaldırın ve bir veya iki dakika pişirin.

d) Üzerine kişniş ve nar taneleri serperek ılık veya oda sıcaklığında servis yapın.

31. Sfiha veya Lahm Bi'ajeen

Yapar: HAKKINDA 14 HAMUR İŞLERİ

SÜSLEME

İÇİNDEKİLER

- 9 oz / 250 gr kıyma kuzu
- 1 büyük soğan, ince doğranmış (1 tepeleme su bardağı / toplam 180 gr)
- 2 orta boy domates, ince doğranmış (1½ bardak / 250 g)
- 3 yemek kaşığı hafif tahin ezmesi
- 1¼ çay kaşığı tuz
- 1 çay kaşığı öğütülmüş tarçın
- 1 çay kaşığı öğütülmüş yenibahar
- ⅛ çay kaşığı acı biber
- 1 oz / 25 gr düz yapraklı maydanoz, doğranmış
- 1 yemek kaşığı taze sıkılmış limon suyu
- 1 yemek kaşığı nar pekmezi
- 1 yemek kaşığı sumak
- 3 yemek kaşığı / 25 gr çam fıstığı
- 2 limon, dilimler halinde kesilmiş

HAMUR

- 1⅔ su bardağı / 230 gr ekmek unu
- 1½ yemek kaşığı süt tozu
- ½ yemek kaşığı tuz
- 1½ çay kaşığı hızlı yükselen aktif kuru maya
- ½ çay kaşığı kabartma tozu
- 1 yemek kaşığı şeker
- ½ su bardağı / 125 ml ayçiçek yağı
- 1 büyük serbest gezinen yumurta
- ½ su bardağı / 110 ml ılık su
- fırçalamak için zeytinyağı

TALİMATLAR

a) Hamurla başlayın. Unu, süt tozunu, tuzu, mayayı, kabartma tozunu ve şekeri geniş bir karıştırma kabına koyun. İyice karıştırdıktan sonra ortasını havuz gibi açın. Ayçiçek yağını ve yumurtayı kuyuya koyun, ardından suyu ekleyerek karıştırın. Hamur bir araya geldiğinde, çalışma yüzeyine aktarın ve elastik ve homojen hale gelinceye kadar 3 dakika yoğurun. Bir kaseye koyun, üzerine biraz zeytinyağı sürün, ılık bir yerde havluyla örtün ve 1 saat bekletin; bu noktada hamurun biraz kabarması gerekir.

b) Ayrı bir kapta, çam fıstığı ve limon dilimleri dışındaki tüm kaplama malzemelerini ellerinizi kullanarak karıştırın. Bir kenara koyun.

c) Fırını önceden 450°F / 230°C'ye ısıtın. Büyük bir fırın tepsisini parşömen kağıdıyla hizalayın.

d) Yükselen hamuru 2 ons / 50 gr'lık toplara bölün; yaklaşık 14 taneye sahip olmalısınız. Her topu yaklaşık 5 inç / 12 cm çapında ve ⅙ inç / 2 mm kalınlığında bir daire şeklinde açın. Her daireyi her iki tarafa da hafifçe zeytinyağıyla fırçalayın ve fırın tepsisine yerleştirin. Üzerini kapatıp 15 dakika mayalanmaya bırakın.

e) İç harcını hamur işlerinin arasına kaşıkla paylaştırın ve hamuru tamamen kaplayacak şekilde eşit şekilde yayın. Çam fıstıklarını serpin. 15 dakika daha kabarması için bir kenara koyun, ardından pişene kadar yaklaşık 15 dakika fırına koyun. Hamur işinin fazla pişmediğinden, yeni pişirildiğinden emin olmak istiyorsunuz; Üst kısmın içi hafif pembe ve hamurun alt kısmı altın renginde olmalıdır. Fırından çıkarın ve limon dilimleri ile birlikte ılık veya oda sıcaklığında servis yapın.

YANLAR

32. Nar ile kavrulmuş brüksel lahanası

Yapım: 4

İÇİNDEKİLER

- 1 pound Brüksel lahanası, ikiye bölünmüş
- 1 arpacık soğanı, doğranmış
- 1 yemek kaşığı zeytinyağı
- Tatmak için biber ve tuz
- 2 çay kaşığı balzamik sirke
- ¼ bardak nar taneleri
- ¼ bardak keçi peyniri, ufalanmış

TALİMATLAR:

a) Fırınınızı önceden 400° F'ye ısıtın. Brüksel lahanalarını yağla kaplayın. Tuz ve karabiber serpin.

b) Bir fırın tepsisine aktarın. Fırında 20 dakika kadar kızartın.

c) Sirke serpin.

d) Servis yapmadan önce üzerine tohum ve peynir serpin.

33. Narlı Kudüs enginarları

Yapım: 4

İÇİNDEKİLER

- 500 gr Kudüs enginarı
- 3 yemek kaşığı sızma zeytinyağı
- 1 çay kaşığı çörek otu tohumu
- 2 yemek kaşığı çam fıstığı
- 1 yemek kaşığı bal
- 1 nar, uzunlamasına ikiye bölünmüş
- 3 yemek kaşığı nar pekmezi
- 3 yemek kaşığı beyaz peynir, ufalanmış
- 2 yemek kaşığı düz yapraklı maydanoz, doğranmış
- Tuz ve karabiber

TALİMATLAR:

a) Fırını önceden 200C/400F/gaz işareti 6'ya ısıtın. Enginarları iyice fırçalayın ve ardından boyutlarına göre ikiye veya dörde bölün. Bunları büyük bir fırın tepsisine tek kat halinde koyun ve üzerine 2 yemek kaşığı yağ gezdirin. Tuz ve karabiberle iyice tatlandırın ve ardından çörek otu tohumlarını serpin. 20 dakika veya kenarları gevrekleşinceye kadar kızartın. Pişirmenin son 4 dakikasında enginarlara çam fıstığı ve balı ekleyin.

b) Bu arada nar tanelerini ezin. Büyük bir kase ve ağır bir tahta kaşık kullanarak, tüm çekirdekler çıkana kadar ikiye bölünmüş narların yan tarafına vurun. Herhangi bir özü çıkarın. Suyu küçük bir kaseye dökün ve nar ekşisini ve kalan zeytinyağını ekleyin. Birleştirilene kadar birlikte karıştırın.

c) Enginar ve çam fıstığı hazır olduğunda, üzerine tohumları serperek servis tabağına alın. Sosu her şeyin üzerine dökün ve servis için bir tutam beyaz peynir ve maydanozla bitirin.

34. Salatalık ve nar salsa

Yapım: 6

İÇİNDEKİLER

- 1 büyük nar
- 1 orta boy salatalık, ince doğranmış
- 2-3 adet ince doğranmış domates
- 1 yeşil biber, ince doğranmış
- 1 acı biber, doğranmış
- ½ demet taze nane ve kişniş, doğranmış
- 1 demet taze soğan, ince dilimlenmiş
- Tuz ve karabiber
- Zeytin yağı
- 1 misket limonunun suyu

TALİMATLAR:

a) Öncelikle nar renginde kıyafetler giydiğinizden emin olun.

b) Narı keskin bir bıçakla ikiye bölün ve parmaklarınızla çekirdeklerini yavaşça serbest bırakın, ilerledikçe tüm özlerini çekin.

c) Bunları diğer tüm malzemelerle karıştırın, iyice karıştırın, üzerini örtün ve ihtiyaç duyulana kadar soğutun.

35. Nar-Kavrulmuş Havuç

Yapım: 4

İÇİNDEKİLER

- 1 pound havuç, soyulmuş, kesilmiş ve uzunlamasına yarıya veya dörde bölünmüş
- 1 yemek kaşığı sızma zeytinyağı
- ¼ çay kaşığı koşer tuzu
- Türk veya Suriye kırmızı biberini veya kırmızı biberini çimdikleyin
- 1 çay kaşığı nar pekmezi veya 2 çay kaşığı balzamik sirke
- 2 yemek kaşığı doğranmış taze kişniş, fesleğen veya maydanoz

TALİMATLAR:

a) Fırını önceden 425°F'ye ısıtın. Kenarlı bir fırın tepsisine havuçları yağ, tuz ve kırmızı biber veya kırmızı biberle birlikte atın. Bunları tek bir katmana yayın.

b) 15 dakika kadar kavurun, iyice karıştırın ve 10 dakika daha kavurun. Daha sonra fırından çıkarın ve üzerine nar pekmezi gezdirin; havuçları pekmezle kaplamak için yavaşça atın. Havuçlar altın rengi ve yumuşak oluncaya kadar yaklaşık 5 dakika daha kızartın. Kişniş ile süsleyerek servis yapın.

36. Izgara Karnabahar Dilimleri

Yapım: 8

İÇİNDEKİLER

- 1 büyük baş karnabahar
- 1/2 çay kaşığı ezilmiş kırmızı biber gevreği
- 4 yemek kaşığı sebze suyu
- 1 çay kaşığı öğütülmüş zerdeçal
- Nar taneleri

TALİMATLAR:

a) Karnabaharın yaprakları ve sapları çıkarılmalıdır. İstenilen porsiyon sayısına bağlı olarak karnabaharı dilimler halinde kesin.
b) Zerdeçal ve pul biberi birleştirin. Zerdeçal karışımını serpmeden önce dilimleri sebze suyuyla fırçalayın.
c) Izgarayı örtün veya 8-10 dakika boyunca veya karnabahar yumuşayana kadar ateşten 4 inç kızartın.
d) Nar taneleri ile süsleyin ve muhteşem ızgara karnabahar dilimlerinin tadını çıkarın.

37. Havuçlu ve Narlı Kamut

Servis 6

1 bardak kamut, durulanmış ve süzülmüş
¼ çay kaşığı sofra tuzu ve kamut pişirmek için tuz
2 yemek kaşığı bitkisel yağ
2 havuç, soyulmuş ve ¼ inçlik parçalar halinde kesilmiş
2 diş sarımsak, kıyılmış
¾ çay kaşığı garam masala
¼ bardak kabuklu antep fıstığı, hafifçe kızartılmış ve iri doğranmış, bölünmüş
3 yemek kaşığı doğranmış taze kişniş, bölünmüş
1 çay kaşığı limon suyu
¼ bardak nar taneleri

1 Büyük bir tencerede 2 litre suyu kaynatın. Kamut ve 2 çay kaşığı tuzu karıştırın. Kaynamaya dönün; ısıyı azaltın; ve yumuşayana kadar 55 dakika ila 1¼ saat pişirin. İyice boşaltın. Kenarlı fırın tepsisine yayın ve en az 15 dakika soğumaya bırakın.
2 Yağı 12 inçlik tavada orta ateşte parıldayana kadar ısıtın. Havuçları ve tuzu ekleyin ve havuçlar yumuşayana ve hafifçe kızarana kadar 4 ila 6 dakika kadar sık sık karıştırarak pişirin. Sarımsak ve garam masala ekleyin ve kokusu çıkana kadar sürekli karıştırarak yaklaşık 1 dakika pişirin. Kamut ekleyin ve ısınana kadar 2 ila 5 dakika pişirin. Ateşin dışında, antep fıstığının yarısını, 2 yemek kaşığı kişnişi ve limon suyunu karıştırın. Tatmak için tuz ve karabiber ekleyin. Servis kasesine aktarın ve üzerine nar taneleri, kalan antep fıstığı ve kalan 1 çorba kaşığı kişniş serpin. Sert.

SALATALAR

38. Acı tatlı Nar Salatası

Yapım: 1-2 Porsiyon

İÇİNDEKİLER

PANSUMAN:

- 2 Yemek kaşığı limon suyu
- ½ su bardağı kan portakalı suyu
- ¼ bardak akçaağaç şurubu

SALATA:

- ½ bardak taze kesilmiş Lahana Mikro Yeşilleri
- 1 küçük radikchio, lokma büyüklüğünde parçalanmış
- ½ su bardağı mor lahana, ince dilimlenmiş
- ¼ küçük kırmızı soğan, ince doğranmış
- 3 turp, ince şeritler halinde kesilmiş
- 1 kan portakalı, soyulmuş, çekirdekleri çıkarılmış ve parçalara ayrılmış
- tatmak için biber ve tuz
- ⅓ bardak ricotta peyniri
- ¼ bardak çam fıstığı, kızartılmış
- ¼ bardak nar taneleri
- 1 Yemek kaşığı zeytinyağı

TALİMATLAR:

PANSUMAN:

a) Tüm sos malzemelerini 20-25 dakika kadar hafifçe pişirin.

b) Servis yapmadan önce soğumaya bırakın.

SALATA:

c) Radikşio, lahana, soğan, turp ve mikro yeşillikleri bir karıştırma kabında birleştirin.

d) Tuz, karabiber ve zeytinyağıyla hafifçe karıştırın.

e) Servis tabağına küçük bir kaşık dolusu ricotta peynirini serpin.

f) Üzerine çam fıstığı ve nar tanelerini ekleyin ve üzerine kan portakalı şurubu gezdirin.

39. Brüksel, Bulgur ve Nar Salatası

yapar: 6 porsiyon

İÇİNDEKİLER

- 1 su bardağı pişmiş kuru bulgur
- 2 yemek kaşığı zeytinyağı
- 2 yemek kaşığı balzamik sirke
- ⅛ çay kaşığı tuz
- 8 ons Brüksel lahanası, sapları ayıklanmış ve kıyılmış
- 1 arpacık soğanı, kıyılmış
- 1 nar, çekirdeği çıkarılmış
- 1 armut, doğranmış
- ¼ bardak ceviz, kabaca doğranmış
- ⅛ çay kaşığı biber

TALİMATLAR:

a) Brüksel lahanalarını nar taneleri, ceviz ve armutla karıştırın.

b) Bulguru çatalla ekleyip salatayla birlikte servis yapın.

c) Sosu hazırlamak için arpacık soğanı, yağ, sirke, tuz ve karabiberi ayrı bir küçük kapta birleştirin.

d) Sosu salatanın üzerine gezdirip karıştırın.

40. Lahana ve Nar Salatası

Yapım: 2 Porsiyon

İÇİNDEKİLER

- 1 su bardağı lahana – rendelenmiş
- ½ nar, çekirdekleri çıkarılmış
- ¼ Yemek kaşığı hardal tohumu
- ¼ yemek kaşığı kimyon tohumu
- 4-5 köri yaprağı
- Asafoetida'yı sıkıştırın
- 1 yemek kaşığı yağ
- Tatmak için tuz ve şeker
- Tatmak için limon suyu
- Taze kişniş yaprakları

TALİMATLAR:

a) Nar ve lahanayı birleştirin.

b) Hardal tohumlarını bir tavada yağla ısıtın.

c) Kimyon tohumlarını, köri yapraklarını ve asafoetida'yı tavaya ekleyin.

d) Baharat karışımını lahanayla birleştirin.

e) Şekeri, tuzu ve limon suyunu ekleyip iyice karıştırın.

f) Kişniş ile süsleyerek servis yapın.

41. Havuç ve Nar Salatası

Yapım: 2 Porsiyon

İÇİNDEKİLER

- 2 havuç – rendelenmiş
- ½ nar, çekirdekleri çıkarılmış
- ¼ Yemek kaşığı hardal tohumu
- ¼ yemek kaşığı kimyon tohumu
- 4-5 köri yaprağı
- Asafoetida'yı sıkıştırın
- 1 yemek kaşığı yağ
- Tatmak için tuz ve şeker
- Limon suyu - tatmak
- Taze kişniş yaprakları

TALİMATLAR:

a) Nar ve havucu birleştirin.

b) Hardal tohumlarını bir tavada yağla ısıtın.

c) Kimyon tohumlarını, köri yapraklarını ve asafoetidayı ekleyin.

d) Baharat karışımını havuçla birleştirin.

e) Şeker, tuz ve limon suyunu ekleyin.

f) Kişniş ile süsleyerek servis yapın.

42. Beyaz Peynirli Maydanoz-Salatalık Salatası

Yapar: 4 - 6

İÇİNDEKİLER

- 1 yemek kaşığı nar pekmezi
- 1 yemek kaşığı kırmızı şarap sirkesi
- ¼ çay kaşığı sofra tuzu
- ⅛ çay kaşığı biber
- Acı biberi sıkın
- 3 yemek kaşığı sızma zeytinyağı
- 3 su bardağı taze maydanoz yaprağı
- 1 İngiliz salatalık, uzunlamasına ikiye bölünmüş ve ince dilimlenmiş
- 1 su bardağı ceviz, kavrulmuş ve iri kıyılmış, bölünmüş
- 1 su bardağı nar taneleri, bölünmüş
- 4 ons beyaz peynir, ince dilimlenmiş

TALİMATLAR:

a) Nar pekmezi, sirke, tuz, karabiber ve kırmızı biberi geniş bir kapta çırpın. Sürekli çırparak, emülsifiye olana kadar yavaşça yağda gezdirin.

b) Maydanoz, salatalık, ½ su bardağı ceviz ve ½ su bardağı nar çekirdeğini ekleyip karıştırın. Tatmak için tuz ve karabiber ekleyin.

c) Servis tabağına aktarın ve üzerine beyaz peynir, kalan ½ su bardağı ceviz ve kalan ½ su bardağı nar tanelerini ekleyin.

d) Sert.

43. Brüksel Filiz Salatası

yapar: 6 porsiyon

İÇİNDEKİLER

- 1 su bardağı kuru bulgur
- 8 ons Brüksel lahanası
- 1 nar
- 1 armut, doğranmış
- ¼ bardak ceviz, kabaca doğranmış
- 1 orta boy arpacık soğanı, kıyılmış
- 2 yemek kaşığı zeytinyağı
- 2 yemek kaşığı balzamik sirke
- ⅛ çay kaşığı tuz
- ⅛ çay kaşığı biber
- Çiğ Brüksel Lahanası Salatası

TALİMATLAR:

a) 2 su bardağı soğuk su ve kuru bulguru küçük bir tencerede birleştirin. Kaynamaya bırakın, ardından düşük ısı ayarına getirin ve ara sıra karıştırın.

b) 12-15 dakika, yani bulgur yumuşayıncaya kadar pişirin. Fazla sıvı boşaltılmalı ve soğumaya bırakılmalıdır.

c) Brüksel lahanalarının saplarını kesin ve sert veya kurumuş yaprakları çıkarın.

d) Brüksel lahanalarını saplarını çıkararak yukarıdan aşağıya doğru ikiye bölün. Brüksel lahanalarını kesilmiş tarafı aşağı bakacak şekilde yerleştirin ve parçalamak için yukarıdan aşağıya doğru ince dilimlemeye başlayın.

e) Büyük bir karıştırma kabında Brüksel lahanalarını katmanlar ayrılıncaya kadar yavaşça atın ve ardından bir kenara koyun.

f) Narın çekirdeklerini çıkarın.

g) Nar soyulduktan sonra ikiye bölerek bükün ve çekirdeklerini çıkarmak için kabuğunu dikkatlice soyun. Narın kesik tarafını bir kasenin üzerine tutun ve tüm çekirdekler dökülünceye kadar tahta kaşıkla arkasına vurun.

h) Brüksel lahanalarını nar taneleri, ceviz ve armutla karıştırın. Bulguru çatalla ezip salatayla birlikte servis yapın.

i) Arpacık soğanı, yağ, sirke, tuz ve karabiberi ayrı küçük bir kapta birleştirin.

j) Salatayı sosun içine atıp karıştırın. Hizmet edin ve tadını çıkarın!

44. Mozzarella, Nar ve kabak salatası

Yapar: 4-6

İÇİNDEKİLER

- 300g mozarella
- 2 kan portakalı, parçalanmış
- 1 demet fesleğen
- Pul pul deniz tuzu

GİYDİRME İÇİN

- 500 ml nar suyu
- 200 ml kan portakalı suyu
- 1 yemek kaşığı esmer şeker
- 2 narın tohumları
- 250ml sızma zeytinyağı
- 1 limonun suyu

TALİMATLAR:

a) İlk önce giyinmeye başlayın. Nar ve kan portakal suyunu bir tavaya dökün ve esmer şekeri ekleyin. Karışımı yanmamasına dikkat ederek şurup haline getirin. Ateşten alıp soğuması için bir kenara koyun.

b) Mozarellayı süzüp eşit parçalara bölüp geniş bir servis tabağına dizin.

c) Portakal parçalarını dağıtın. Fesleğen yapraklarını yırtın ve portakalın üzerine serpin.

d) 50 ml pekmezi ve taze nar tanelerini zeytinyağı ve yarım limon suyuyla karıştırın. Tadına daha fazla limon suyu ekleyin.

e) Mozzarella ve kan portakallarını tuzla tatlandırın ve sosu üzerine bolca gezdirin. Derhal servis yapın.

45. Kabak ve nar salatası

Yapar: 3-4

İÇİNDEKİLER

- 1 küçük kabak, parçalara ayrılmış, soyulmuş, çekirdekleri çıkarılmış
- 1 yemek kaşığı zeytinyağı
- 1 nar çekirdeği
- 100 gr ıspanak ve roka yaprakları
- Bir avuç taze nane
- Büyük bir avuç taze kişniş
- 3 büyük havuç, soyulmuş ve rendelenmiş
- 2 portakal, kabuğu soyulmuş, soyulmuş ve dilimler halinde kesilmiş
- 1 limon kabuğu rendesi ve
- 20 gr ceviz veya çam fıstığı
- 20 gr hurma, doğranmış
- Tuz ve karabiber

GİYDİRME İÇİN

- 2 yemek kaşığı agav şurubu
- ½ portakal suyu
- ½ limon suyu
- 1 yemek kaşığı ceviz yağı

TALİMATLAR:

a) Fırını önceden 180C/350F/gaz işaretine ısıtın 4. Kabak dilimlerini zeytinyağıyla kaplayın ve tuz ve karabiberle tatlandırın. Bir kızartma kabına dökün ve yaklaşık 40 dakika veya yumuşayana kadar pişirin. Hafifçe soğutun.

b) Salata yapraklarını servis tabağınızın tabanına dizin. Nane ve kişniş yapraklarını ince ince kıyıp rendelenmiş havuçla birleştirin. Biraz tuz ve karabiber serpin, ardından yaprakların üzerine koyun.

c) Üzerine portakal dilimlerini koyun. Kavrulmuş kabak dilimlerini, ardından nar tanelerini, cevizi ve hurma parçalarını ekleyin.

d) Sosu MALZEMELERİ küçük bir kasede birleştirin, ardından salata tabağının üzerine gezdirerek servis yapın.

46. Lahana, nar ve kestane ile ricotta

Yapım: 4

İÇİNDEKİLER

- 200 gr lahana, toplanmış ve yıkanmış
- 200 gr pişmiş kestane, kabaca doğranmış
- 250 gr ricotta peyniri
- 2 çay kaşığı nar pekmezi
- ½ nar çekirdeği
- Zeytin yağı
- Tuz

TALİMATLAR:

a) Büyük bir tencerede kaynayan tuzlu suda lahanaları 3-4 dakika haşlayın ve ardından buzlu suda tazeleyin.

b) Soğuduktan sonra süzün ve bir kenara koyun.

c) Kestaneleri birkaç dakika zeytinyağında hafifçe kızartın, ardından beyazlatılmış lahanayı tekrar ısıtmak için ekleyin.

d) Ayrı bir tavada ricotta'yı yavaşça ısıtın.

e) Servis yapmak için servis tabağının altına sıcak ricotta'yı koyun ve üzerine sıcak kestane ve lahana ekleyin.

f) Üzerine nar pekmezini gezdirin ve taze çekirdekleri serpin.

47. Hindiba ve Portakal Salatası

İÇİNDEKİLER

- 2 orta boy Belçika hindibası, yaprakları ayrılmış
- 2 göbek portakalı, soyulmuş, yarıya bölünmüş ve 1⁄4 inç dilimler halinde kesilmiş
- 2 yemek kaşığı kıyılmış kırmızı soğan
- 3 yemek kaşığı zeytinyağı
- 11⁄2 yemek kaşığı incir katkılı balzamik sirke
- Tuz ve taze çekilmiş karabiber
- 1 yemek kaşığı taze nar taneleri (isteğe bağlı)

TALİMATLAR

a) Büyük bir kapta hindiba, portakal, ceviz ve soğanı birleştirin. Bir kenara koyun.
b) Küçük bir kapta yağ, sirke, şeker, tuz ve karabiberi damak tadınıza göre birleştirin. Harmanlanana kadar karıştırın. Sosu salatanın üzerine dökün ve birleştirmek için hafifçe karıştırın. Kullanıyorsanız üzerine nar taneleri serpip servis yapın.

48. Kavrulmuş Karnabahar & Fındık Salatası

Yapar: 2 ila 4

İÇİNDEKİLER

- 1 baş karnabahar, küçük çiçeklere ayrılmış (toplamda 1½ lb / 660 g)
- 5 yemek kaşığı zeytinyağı
- 1 büyük kereviz sapı, açılı olarak ¼ inç / 0,5 cm dilimler halinde kesilmiş (⅔ fincan / toplam 70 g)
- 5 yemek kaşığı / 30 gr fındık, kabuklarıyla birlikte
- ⅓ bardak / 10 gr küçük, düz yapraklı maydanoz yaprakları (toplanmış)
- ⅓ bardak / 50 gr nar taneleri (yaklaşık ½ orta boy nardan)
- cömert ¼ çay kaşığı öğütülmüş tarçın
- cömert ¼ çay kaşığı öğütülmüş yenibahar
- 1 yemek kaşığı şeri sirkesi
- 1½ çay kaşığı akçaağaç şurubu
- tuz ve taze çekilmiş karabiber

TALİMATLAR

a) Fırını önceden 425°F / 220°C'ye ısıtın.

b) Karnabaharı 3 yemek kaşığı zeytinyağı, ½ çay kaşığı tuz ve biraz karabiberle karıştırın. Bir kızartma tavasına yayın ve karnabahar gevrekleşinceye ve bazı kısımları altın rengi kahverengiye dönene kadar 25 ila 35 dakika boyunca üst fırın rafında kızartın. Geniş bir karıştırma kabına alıp soğuması için bir kenara bırakın.

c) Fırın sıcaklığını 325°F / 170°C'ye düşürün. Fındıkları parşömen kağıdıyla kaplı bir fırın tepsisine yayın ve 17 dakika kızartın.

d) Fındıkları biraz soğumaya bırakın, ardından irice doğrayın ve kalan yağ ve diğer malzemelerle birlikte karnabahara ekleyin. Uygun şekilde karıştırın, tadın ve tuz ve karabiberle tatlandırın. Oda sıcaklığında servis yapın.

49. Baharatlı Pancar, Pırasa ve Ceviz Salatası

İÇİNDEKİLER

- 4 orta boy pancar (pişirilip soyulduktan sonra toplam ⅓ lb / 600 g)
- 4 orta boy pırasa, 4 inç / 10 cm'lik dilimler halinde kesilmiş (toplamda 4 bardak / 360 g)
- ½ oz / 15 gr kişniş, iri kıyılmış
- 1¼ bardak / 25 gr roka
- ⅓ su bardağı / 50 gr nar taneleri (isteğe bağlı)
- PANSUMAN
- 1 su bardağı / 100 gr ceviz, iri kıyılmış
- 4 diş sarımsak, ince doğranmış
- ½ çay kaşığı şili gevreği
- ¼ bardak / 60 ml elma sirkesi
- 2 yemek kaşığı demirhindi suyu
- ½ çay kaşığı ceviz yağı
- 2½ yemek kaşığı fıstık yağı
- 1 çay kaşığı tuz

TALİMATLAR

a) Fırını önceden 425°F / 220°C'ye ısıtın.

b) Pancarları tek tek alüminyum folyoya sarın ve büyüklüklerine göre fırında 1 ila 1½ saat kadar kavurun. Pişirdikten sonra küçük bir bıçağı ortasına kolayca saplayabilmelisiniz. Fırından çıkarıp soğuması için bir kenara bırakın.

c) İşlenecek kadar soğuduktan sonra pancarları soyun, ikiye bölün ve her yarımı tabanda ⅜ inç / 1 cm kalınlığında dilimler halinde kesin. Orta boy bir kaseye koyun ve bir kenara koyun.

d) Pırasaları tuzlu suyla orta boy bir tencereye koyun, kaynatın ve pişene kadar 10 dakika pişirin; Parçalanmamaları için yavaşça kaynatmak ve fazla pişirmemek önemlidir. Süzün ve soğuk su altında tazeleyin, ardından çok keskin bir tırtıklı bıçak kullanarak her parçayı 3 küçük parçaya bölün ve kurulayın. Pancarlardan ayrı bir kaseye aktarın ve bir kenara koyun.

e) Sebzeler pişerken sos malzemelerini karıştırın ve tüm lezzetlerin bir araya gelmesi için en az 10 dakika bir kenarda bekletin.

f) Ceviz sosunu ve kişnişi pancar ve pırasaların arasına eşit olarak paylaştırın ve yavaşça atın. Her ikisini de tadın ve gerekirse daha fazla tuz ekleyin.
g) Salatayı bir araya getirmek için, pancarların çoğunu servis tabağına yayın, üzerine biraz roka ekleyin, ardından pırasanın çoğunu, ardından kalan pancarları ekleyin ve daha fazla pırasa ve roka ile tamamlayın. Kullanıyorsanız üzerine nar taneleri serpip servis yapın.

50. Mason kavanozu pancarı ve Brüksel lahanası tahıl kaseleri

İçindekiler

- 3 orta boy pancar (yaklaşık 1 pound)
- 1 yemek kaşığı zeytinyağı
- Tadına göre kaşer tuzu ve taze çekilmiş karabiber
- 1 bardak farro
- 4 su bardağı bebek ıspanak veya lahana
- 2 su bardağı Brüksel lahanası (yaklaşık 8 ons), ince dilimlenmiş
- 3 clementines, soyulmuş ve parçalara ayrılmış
- ½ bardak ceviz, kızartılmış
- ½ bardak nar taneleri

Bal-Dijon kırmızı şarap sosu

- ¼ fincan sızma zeytinyağı
- 2 yemek kaşığı kırmızı şarap sirkesi
- ½ arpacık soğanı, kıyılmış
- 1 yemek kaşığı bal
- 2 çay kaşığı tam tahıllı hardal
- Tadına göre kaşer tuzu ve taze çekilmiş karabiber

Talimatlar

a) Fırını önceden 400 derece F'ye ısıtın. Bir fırın tepsisini folyoyla kaplayın.
b) Pancarları folyoya yerleştirin, üzerine zeytinyağı gezdirin ve tuz ve karabiberle tatlandırın. Bir kese oluşturmak için folyonun 4 tarafını da katlayın. Çatal yumuşayana kadar 35 ila 45 dakika pişirin; soğumaya bırakın, yaklaşık 30 dakika.
c) Temiz bir kağıt havlu kullanarak pancarları ovalayarak kabuklarını çıkarın; lokma büyüklüğünde parçalar halinde doğrayın.
d) Farro'yu paketteki talimatlara göre pişirin, ardından soğumaya bırakın.
e) Pancarları kapaklı 4 (32 ons) geniş ağızlı cam kavanoza bölün. Üzerine ıspanak veya lahana, farro, Brüksel lahanası, clementines, ceviz ve nar taneleri ekleyin. Buzdolabında 3 veya 4 gün ağzı kapalı olarak muhafaza edilecektir.
f) VINAIGRETTE İÇİN: Zeytinyağı, sirke, arpacık soğanı, bal, hardal ve 1 yemek kaşığı suyu birlikte çırpın; tatmak için tuz ve karabiber ekleyin. Örtün ve 3 güne kadar soğutun.
g) Servis yapmak için her bir kavanoza salata sosunu ekleyin ve çalkalayın. Derhal servis yapın.

51. Tay Biber Brokoli Salatası

Yapım: 4

İÇİNDEKİLER

- Beyazlatılmış brokoli çiçeği: ½ kg
- Biber sos için:
- Limon suyu: 1 yemek kaşığı
- Nar suyu: 1 yemek kaşığı
- Pudra şekeri: ½ çay kaşığı
- Ezilmiş sarı hardal tohumu: 1 çay kaşığı
- Kurutulmuş pul biber: ¼ çay kaşığı
- Kıyılmış sarımsak: 1 çay kaşığı
- Yağ: 1 yemek kaşığı
- Parçalı turuncu: 1
- Lor üzeri için:
- Asılı lor: 2 yemek kaşığı
- Rendelenmiş portakal kabuğu: 1
- Portakal suyu: 2 yemek kaşığı
- Sirke: 1 yemek kaşığı
- Domates püresi: 1 çay kaşığı
- Şeker, tuz ve karabiber: 1 çay kaşığı

TALİMATLAR:

- Tüm salata malzemelerini bir karıştırma kabında birleştirin.
- 2-3 saat bekletin.
- Lor tepesini malzemelerle birleştirin ve tadına göre baharatlayın.
- Brokoliyi salata sosuyla karıştırın ve servis yapmadan hemen önce üzerine lor sosu ve portakal kısmını ekleyin.

52. Çıtır Mercimek ve Ot Salatası

6'dan 8'e kadar hizmet verir

Salamura için 1 çay kaşığı sofra tuzu
½ bardak kurutulmuş du Puy mercimek, toplanmış ve durulanmış
Kızartmak için ⅓ bardak bitkisel yağ
½ çay kaşığı öğütülmüş kimyon
¼ çay kaşığı artı bir tutam sofra tuzu, bölünmüş
1 bardak sade Yunan yoğurdu
3 yemek kaşığı sızma zeytinyağı, bölünmüş
1 çay kaşığı rendelenmiş limon kabuğu rendesi artı 1 çay kaşığı meyve suyu
1 diş sarımsak, kıyılmış
½ bardak taze maydanoz yaprağı
½ bardak yırtılmış taze dereotu
½ bardak taze kişniş yaprağı
¼ bardak kurutulmuş kiraz, doğranmış
Nar ekşisi

1 Kasede 1 çay kaşığı tuzu 1 litre suda eritin. Mercimeği ekleyin ve oda sıcaklığında en az 1 saat bekletin. İyice süzün ve kağıt havluyla kurulayın.
2 Bitkisel yağı büyük bir tencerede orta ateşte parıldayana kadar ısıtın. Mercimekleri ekleyin ve sürekli karıştırarak, çıtır çıtır ve noktalar halinde altın rengi olana kadar 8 ila 12 dakika pişirin (yağ tamamen köpürmelidir; ısıyı gerektiği gibi ayarlayın). Mercimekleri kasenin üzerine yerleştirilmiş ince gözenekli süzgeçte dikkatlice süzün, ardından mercimekleri kağıt havluyla kaplı tabağa aktarın. Yağı atın. Kimyon ve ¼ çay kaşığı tuz serpin ve birleştirmek için fırlatın; bir kenara koyun.
3 Yoğurt, 2 yemek kaşığı zeytinyağı, limon kabuğu rendesi, meyve suyu ve sarımsağı kasede çırpın ve tuz ve karabiberle tatlandırın. Servis tabağına yoğurtlu karışımı yayın. Maydanoz, dereotu, kişniş, kalan tutam tuz ve kalan 1 çorba kaşığı zeytinyağını bir kasede karıştırın, ardından mercimek ve vişneleri yavaşça karıştırın ve yoğurt karışımının üzerine 1 inçlik kenar kalacak şekilde düzenleyin. Üzerine nar pekmezi gezdirip servis yapın.

53. Narlı Beyaz Salata

Porsiyon: 4 porsiyon

İÇİNDEKİLER

- 1/2 bardak ceviz
- 1/4 su bardağı toz şeker
- 1 (10 ons) paket karışık bebek yeşillikleri
- 1 nar, soyulmuş ve çekirdekleri ayrılmış
- 1/4 kırmızı soğan, ince dilimlenmiş
- 1 (8 ons) paket ufalanmış beyaz peynir

PANSUMAN:

- 1 çay kaşığı Dijon hardalı
- 3 yemek kaşığı kırmızı şarap sirkesi
- 3 yemek kaşığı sızma zeytinyağı
- 1 yemek kaşığı beyaz şeker veya bal
- 1 limon, kabuğu rendelenmiş ve suyu sıkılmış
- tatmak için biber ve tuz

TALİMATLAR

a) Ceviz şekerlemesini yapmak için şekeri küçük bir tavaya dökün ve üzerine cevizleri dökün. Fındık ve şekerin yanmaması için sürekli karıştırarak şeker eriyip karamel rengine dönene kadar orta ateşte pişirin.

b) Şeker karamel rengine döndüğünde cevizleri şekerle kaplamak için karıştırmaya devam edin. Cevizleri yağlanmış yağlı kağıt veya alüminyum folyo üzerine soğuması için dökün.

c) Cevizler soğuduktan sonra parçalara ayırın.

d) Marul, nar taneleri, kırmızı soğan, beyaz peynir ve ceviz parçalarını geniş bir karıştırma kabına koyun; bir kenara koyun.

e) Ayrı bir kapta Dijon hardalı, sirke, zeytinyağı, şeker veya bal, limon kabuğu rendesi, limon suyu (tadına göre), tuz ve karabiberi birlikte çırpın.

f) Salatanın üzerine dökün ve kaplayın. Derhal servis yapın.

ÇORBA VE YAHVELER

54. Narlı karnabahar çorbası

Yapar: 8-10

İÇİNDEKİLER

- 3 orta boy havuç, kabaca doğranmış
- 3 orta boy kereviz sapı, kabaca doğranmış
- 3 soğan, kabaca doğranmış
- 3 orta boy pırasa, kabaca doğranmış
- 700 gr patates, soyulmuş ve kabaca doğranmış
- 3 yemek kaşığı zeytinyağı
- 1 baş sarımsak, kabaca doğranmış
- 3 defne yaprağı
- 2 yemek kaşığı koyu muscovado şekeri
- 1 büyük karnabahar, kabaca doğranmış
- 2 x 440g teneke nohut
- 3-4 litre sebze suyu
- 1 yemek kaşığı harissa
- Küçük bir demet maydanoz
- 1 limonun suyu
- Tuz ve karabiber

BAHARAT:

- 2 yemek kaşığı kimyon
- 1 yemek kaşığı öğütülmüş kişniş
- 1 yemek kaşığı kırmızı biber
- 1 yemek kaşığı füme kırmızı biber
- 1 çay kaşığı pul biber
- 1 çay kaşığı öğütülmüş tarçın
- 1 çay kaşığı öğütülmüş hindistan cevizi

HİZMET ETMEK

- 1 nar çekirdeği
- Nar ekşisi

- 1 küçük demet taze kişniş

TALİMATLAR:

a) Havucu, kerevizi, beyaz soğanı, pırasayı ve patatesi zeytinyağında biraz renk alana kadar kızartın. Sarımsak, defne, baharat ve şekeri ekleyin ve baharatlar aromasını bırakıncaya kadar terleyin.

b) Karnabaharın yapraklarını ve sert sapını çıkarıp atın, yenilebilir kısımlarını kabaca doğrayıp çorba tabanına ekleyin. Nohutları, sebze suyunu ve varsa harissa ezmesini ekleyin ve tüm sebzeler yumuşayana kadar pişirin: yaklaşık 20 dakika.

c) Maydanoz ve limon suyunu ekleyin ve bir el blenderi veya mutfak robotu kullanarak çorbayı zengin ve pürüzsüz hale gelinceye kadar karıştırın. Çok kalınsa biraz daha stok eklemeniz gerekebilir. Tadına bakın gerekliyse tuz ve biber ekleyin.

d) Servis etmek için bir kaseye alın ve üzerine biraz nar taneleri, birkaç damla nar pekmezi ve çekilmiş kişniş yapraklarıyla süsleyin.

55. Tavuk, ceviz ve nar güveç

Yapar: 6–8

İÇİNDEKİLER

- Sebze yağı
- 2 büyük soğan, doğranmış
- 1 yemek kaşığı sade un
- 600 gr ceviz, ince öğütülmüş
- 8 tavuk budu, kemiği alınmış, derisi alınmış
- Tuz ve karabiber
- 1,2 litre su
- 3 yemek kaşığı pudra şekeri
- 450ml nar pekmezi
- Servis için 1 nar çekirdeği

TALİMATLAR:

a) İki büyük tencereyi orta ateşte önceden ısıtın. İlkine 3 yemek kaşığı bitkisel yağ dökün ve soğanları yarı saydam olana ve hafifçe kızarana kadar kızartın. İkinci tavada sade unu rengi açılıp bej oluncaya kadar kavurun. Öğütülmüş cevizleri ekleyip karışımı pişirin.

b) Soğanlar kavrulduktan sonra tavuk butlarının her iki tarafını da tuz ve karabiberle tatlandırıp soğanlara ekleyin. Uylukların her iki taraftan da kapatılmasını sağlamak için sıcaklığı artırın ve iyice karıştırın. Hafifçe kızardıktan sonra ateşi kapatın ve bir kenara koyun.

c) Cevizli tavaya suyu ekleyin, iyice karıştırın ve karışımı yavaş yavaş kaynatın, ardından kapağını kapatın ve kısık-orta ateşte 1 saat pişmeye bırakın. Bu cevizleri pişirip yumuşatacaktır; Cevizlerin doğal yağlarının yüzeye çıktığını gördüğünüzde karışım pişmiş demektir.

d) Şekeri ve nar pekmezini cevizlere ekleyin ve yaklaşık 1 dakika veya pekmez tamamen eriyene kadar iyice karıştırın.

e) Bu işlem tamamlandıktan sonra tavuk ve soğanları ceviz ve nar karışımına ekleyin, üzerini örtün ve yaklaşık 2 saat pişirin, her 30 dakikada bir iyice karıştırarak cevizlerin yanmaması için tavanın dibinden kaldırılmasını sağlayın. . Pişirdikten sonra zengin, koyu, neredeyse çikolataya benzeyen bir karışım elde edeceksiniz.

f) Üzerine nar taneleri serperek servis yapın ve bol miktarda basmati pirinci eşliğinde tadını çıkarın.

56. İran Nar Çorbası

Yapar: 6-8

İÇİNDEKİLER

- ¼ bardak zeytinyağı, ayrıca üzeri için ekstra
- 1 sarı soğan, doğranmış
- 3 diş sarımsak, kıyılmış
- ¾ bardak sarı bezelye
- ½ bardak mercimek
- ½ bardak maş fasulyesi
- ½ bardak inci arpa
- 1 büyük pancar, küçük doğranmış
- 2 çay kaşığı öğütülmüş kimyon
- 1 çay kaşığı öğütülmüş zerdeçal
- 12 su bardağı sebze suyu veya su
- 2 yemek kaşığı kuru nane
- ½ su bardağı nar pekmezi
- 1 demet kıyılmış kişniş
- 1 su bardağı labne veya koyu yoğurt
- 1 nar çekirdeği
- Tuz ve biber

TALİMATLAR:

a) Yağı büyük bir tencerede orta ateşte ısıtın ve soğanı sık sık karıştırarak kahverengileşene kadar yaklaşık 10 dakika pişirin.

b) Sarımsak, fasulye, arpa, pancar, baharat ve 2 çay kaşığı tuzu ekleyin. Pişmiş soğanlarla iyice karıştırın, ardından et suyunu veya suyu ekleyip kaynatın.

c) Isıyı düşürün ve fasulye ve arpa yumuşayana kadar kapağı kapalı olarak 1,5 saat pişirin.

d) Çorba kaynarken kuru nane ve nar pekmezini ekleyip karıştırın, tuz ve karabiberle tatlandırın.

e) Üstüne biraz zeytinyağı ve bir parça yoğurt ve bol miktarda kişniş ve nar taneleri serperek sıcak olarak servis yapın.

57. Karanfilli Nar Çorbası

Yapım: 4

İÇİNDEKİLER

- 1 limon
- 2 nar
- 4 yemek kaşığı Nar Ekşisi
- 4 karanfIl
- 2 yemek kaşığı bal
- 250 mililitre elma suyu
- 1 kavun
- 2 papaya

TALİMATLAR:

a) Limonu sıcak suda durulayın, kabuğunu rendeleyin ve suyunu sıkın.

b) Narları yarıya bölün ve tohumlayın, tüm suyu toplayın. Suyu nar ekşisi, karanfil, bal ve elma suyuyla bir tencerede birleştirip kaynatın. Ateşten alın, limon suyu ve kabuğu rendesini ekleyip soğutun. Karanfilleri çıkarın.

c) Kavun ve papayayı ikiye bölün, çekirdeklerini ve liflerini çıkarın, soyun ve iri doğrayın ve çorbaya ekleyin. Çorbayı bir blenderde püre haline getirin. Kremsi bir kıvam elde etmek için su ekleyin. En az 1 saat buzdolabında bekletin.

d) Çorbayı 4 kaseye dökün ve nar taneleriyle süsleyin. Sert.

58. Narda pişmiş kuzu

Yapım: 4

İÇİNDEKİLER

- 500 gr doğranmış kuzu budu
- 1 yemek kaşığı malt sirkesi
- sızma kolza tohumu yağı
- 2 çay kaşığı zencefil, ince rendelenmiş
- 2 çay kaşığı sarımsak, ince rendelenmiş
- 3 kırmızı soğan, ince doğranmış
- 2 erik domates, doğranmış
- 4 yeşil biber, ince doğranmış
- 1 yemek kaşığı nar pekmezi
- 200 gr basmati pirinci
- 2 çay kaşığı tereyağı
- servis için doğranmış bir avuç kişniş

BAHARAT KARIŞIMI

- 1 çay kaşığı zerdeçal
- 5 cm'lik tarçın çubuğu
- 2 yıldızlı anason
- 1 çay kaşığı kişniş tohumu
- 1 çay kaşığı kimyon tohumu
- 2 çay kaşığı kurutulmuş hindistan cevizi

PANCAR VE NAR RAITA

- 100 gr doğal yoğurt
- ¼ küçük pancar, soyulmuş ve rendelenmiş
- ½ nar taneleri, ayrıca servis için ekstra

TALİMATLAR:

a) Doğranmış kuzu etini malt sirkesiyle birlikte bir kaseye alıp bir kenara koyun. Baharat karışımı için tüm baharatları bir baharat öğütücüye dökün ve ince bir toz haline gelinceye kadar çırpın.
b) 2 yemek kaşığı kolza yağını geniş bir tavada ısıtın ve zencefil ve sarımsağı açık kahverengi olana kadar pişirin. Soğanları ekleyin ve koyu kahverengi olana kadar karıştırarak pişirin. Yakalanmaya başlarlarsa ısıyı biraz azaltın. Domatesleri ve yeşil biberleri ekleyip iyice karıştırın ve 4-5 dakika daha pişirin. Baharat karışımını ekleyin ve birkaç dakika daha pişirin.
c) Nar pekmezini ekleyip kısık ateşte pişirin.
d) Yapışmaz bir tavayı ısıtın ve kuzu etini ekleyin. Eti her taraftan kızartın, ardından eti soğan tavasına koyun ve iyice karıştırın. Su ısıtıcısından 600 ml su ekleyin ve karıştırın. Tekrar kaynamaya bırakın, ardından tavayı bir kapakla kapatın ve orta ateşte 1 saat veya ara sıra karıştırarak yumuşayana kadar pişirin.
e) Bu arada basmati pirincini 30 dakika soğuk suda bekletin, ardından iyice süzün. Tereyağını pirinçle birlikte bir tavaya ekleyin ve birkaç dakika kızartın. 300 ml kaynar su ekleyin, iyice karıştırın ve kapağını kapatın. Yaklaşık 5-7 dakika sonra suyun tamamı emildiğinde tavayı ocaktan alın. Tavayı temiz bir bezle örtün ve kapağını tekrar kapatın. Servis yapmadan önce 5 dakika dinlendirin.
f) Tüm raita malzemelerini ½ çay kaşığı tuzla karıştırın ve üstüne birkaç nar tanesi ekleyerek servis yapın.
g) Körili kuzu etini pirinç, raita, bir tutam kıyılmış kişniş ve biraz daha nar çekirdeği ile birlikte servis edin.

59. İran Nar Çorbası

Yapar: 6-8

İÇİNDEKİLER:

- ¼ bardak zeytinyağı, ayrıca üzeri için ekstra
- 1 sarı soğan, doğranmış
- 3 diş sarımsak, kıyılmış
- ¾ bardak sarı bezelye
- ½ bardak mercimek
- ½ bardak maş fasulyesi
- ½ bardak inci arpa
- 1 büyük pancar, küçük doğranmış
- 2 çay kaşığı öğütülmüş kimyon
- 1 çay kaşığı öğütülmüş zerdeçal
- 12 su bardağı sebze suyu veya su
- 2 yemek kaşığı kuru nane
- ½ su bardağı nar pekmezi
- 1 demet kıyılmış kişniş
- 1 su bardağı labne veya koyu yoğurt
- 1 nar çekirdeği
- Tuz ve biber

TALİMATLAR:

f) Yağı büyük bir tencerede orta ateşte ısıtın ve soğanı sık sık karıştırarak kahverengileşene kadar yaklaşık 10 dakika pişirin.
g) Sarımsak, fasulye, arpa, pancar, baharat ve 2 çay kaşığı tuzu ekleyin. Pişmiş soğanlarla iyice karıştırın, ardından et suyunu veya suyu ekleyip kaynatın.
h) Isıyı düşürün ve fasulye ve arpa yumuşayana kadar kapağı kapalı olarak 1,5 saat pişirin.
i) Çorba kaynarken kuru nane ve nar pekmezini ekleyip karıştırın, tuz ve karabiberle tatlandırın.
j) Üstüne biraz zeytinyağı ve bir parça yoğurt ve bol miktarda kişniş ve nar taneleri serperek sıcak olarak servis yapın.

60. Közlenmiş Patlıcan & Mograbieh Çorbası

Yapım: 4

İÇİNDEKİLER

- 5 küçük patlıcan (toplamda yaklaşık 2½ lb / 1,2 kg)
- kızartmak için ayçiçek yağı
- 1 soğan, dilimlenmiş (toplamda yaklaşık 1 bardak / 125 g)
- 1 yemek kaşığı kimyon tohumu, taze çekilmiş
- 1½ çay kaşığı domates salçası
- 2 büyük domates (toplamda 12 oz / 350 g), kabuğu soyulmuş ve doğranmış
- 1½ bardak / 350 ml tavuk veya sebze suyu
- 1⅔ bardak / 400 ml su
- 4 diş sarımsak, ezilmiş
- 2½ çay kaşığı şeker
- 2 yemek kaşığı taze sıkılmış limon suyu
- ⅓ fincan / 100 g mograbieh veya maftoul, fregola veya dev kuskus gibi alternatifler (bkz.Kuskus bölümü)
- İsteğe göre 2 yemek kaşığı kıyılmış fesleğen veya 1 yemek kaşığı kıyılmış dereotu
- tuz ve taze çekilmiş karabiber

TALİMATLAR

a) Patlıcanlardan üçünü yakarak başlayın. Bunu yapmak için talimatları izleyin.Sarımsak, limon ve nar taneleri ile yanmış patlıcan.
b) Kalan patlıcanları ⅔ inç / 1,5 cm'lik zarlar halinde kesin. Yaklaşık ⅔ bardak / 150 ml yağı büyük bir tencerede orta-yüksek ateşte ısıtın. Sıcakken patlıcan zarlarını ekleyin. Sık sık karıştırarak, her yeri renklenene kadar 10 ila 15 dakika kızartın; Gerekirse biraz daha yağ ekleyin, böylece tavada her zaman bir miktar yağ kalır. Patlıcanı çıkarın, süzülmesi için bir kevgir içine koyun ve üzerine tuz serpin.
c) Tavada yaklaşık 1 yemek kaşığı yağın kaldığından emin olun, ardından soğanı ve kimyonu ekleyin ve sık sık karıştırarak yaklaşık 7 dakika soteleyin. Domates salçasını ekleyin ve bir dakika daha pişirin, ardından domatesleri, et suyunu, suyu,

sarımsağı, şekeri, limon suyunu, 1½ çay kaşığı tuzu ve biraz karabiberi ekleyin. 15 dakika boyunca yavaşça pişirin.

d) Bu arada küçük bir tencerede tuzlu suyu kaynatın ve mograbieh veya alternatifini ekleyin. Al dente'ye kadar pişirin; bu markaya göre değişir ancak 15 ila 18 dakika sürer (paketi kontrol edin). Süzüp soğuk su altında yenileyin.

e) Yanmış patlıcan etini çorbaya aktarın ve el blenderi ile pürüzsüz bir sıvı haline getirin. Mograbieh'i ve kızartılmış patlıcanı ekleyin, bir kısmını süslemek için sonda bırakın ve 2 dakika daha pişirin. Baharatı tadın ve ayarlayın. Üzerine ayrılmış mograbieh ve kızarmış patlıcanla sıcak olarak servis yapın ve isterseniz fesleğen veya dereotu ile süsleyin.

61. Yavaş Tencere Karnabahar Köri

Yapım: 6

İÇİNDEKİLER

a) 1 kiloluk bebek patates, büyükse yarıya bölünmüş
b) 1 büyük baş karnabahar, çiçeklere bölünmüş
c) 2 14 oz hindistan cevizi sütü kutusu
d) ¼ fincan Tay kırmızı köri ezmesi
e) 2 yemek kaşığı düşük sodyum soya sosu
f) 2 su bardağı düşük sodyumlu sebze suyu
g) ½ çay kaşığı kimyon tohumu
h) 1 yemek kaşığı nar pekmezi
i) 2 su bardağı taze ıspanak
j) 1 tarçın çubuğu
k) Kaşer tuzu ve biberi
l) Servis için taze naan
m) Servis için 1 nar taneleri
n) Servis için buharda pişirilmiş pirinç, kişniş ve limon

TALİMATLAR:

a) Yavaş bir tencerede hindistan cevizi sütünü, köri ezmesini, soya sosunu, et suyunu ve pekmezi birleştirin.
b) Patatesleri, karnabaharı, kimyonu ve tarçını ekleyin, ardından tuz ve karabiberle tatlandırın.
c) Düşük ateşte en az 5 ila 6 saat, yüksek ateşte ise 3 ila 4 saat pişirin.
d) Ispanağı karıştırın, ardından kapağını kapatın ve 5 dakika veya yumuşayana kadar pişirin.
e) Köriyi nar taneleri, limon ve kişnişle doldurulmuş kaselerde servis edin. En iyi taze naan ile servis edilir.

62. Mango-Portakal Soslu Yıldız Meyvesi

Yapar: 2-3

İÇİNDEKİLER

- Yıldız meyvesi: 1 olgun (taze, kesilmiş, çekirdekleri çıkarılmış ve dilimlenmiş)
- Portakal suyu: 1 su bardağı
- Mango: 1 olgun, taze
- Esmer şeker: ¼ bardak
- Hindistan cevizi sütü: 1 su bardağı
- Nar taneleri/kiraz: bir avuç taze

TALİMATLAR:

a) Yıldız meyve dilimlerini bir tencereye alıp ocağın üzerine yerleştirin.
b) Karışıma portakal suyunu ekleyin. Isıyı yüksek seviyeye getirin ve meyve suyu kaynamaya başlayıncaya kadar sürekli karıştırın.
c) Isıyı en aza indirin ve meyve suyunun 10 dakika pişmesine izin verin.
d) Mangoyu blenderda püre haline getirin. Karışım pürüzsüz ve püre haline gelinceye kadar karıştırın.
e) Yıldız meyvesi d1'e yaklaştığında şekeri/tatlandırıcıyı ekleyin ve karıştırarak çözünmesini sağlayın.
f) Tencereyi ateşten çıkarın.
g) Tamamen birleşene kadar mango püresini karıştırın. Şekerini damak tadınıza göre ayarlayın.
h) Meyveyi tamamen kaplayacak kadar sosla birlikte tabak başına 3 yıldızlı meyve dilimleri yerleştirin.
i) Üzerine biraz Hindistan cevizi sütü gezdirin.

çeşniler

63. Balkabağı ve narlı humus

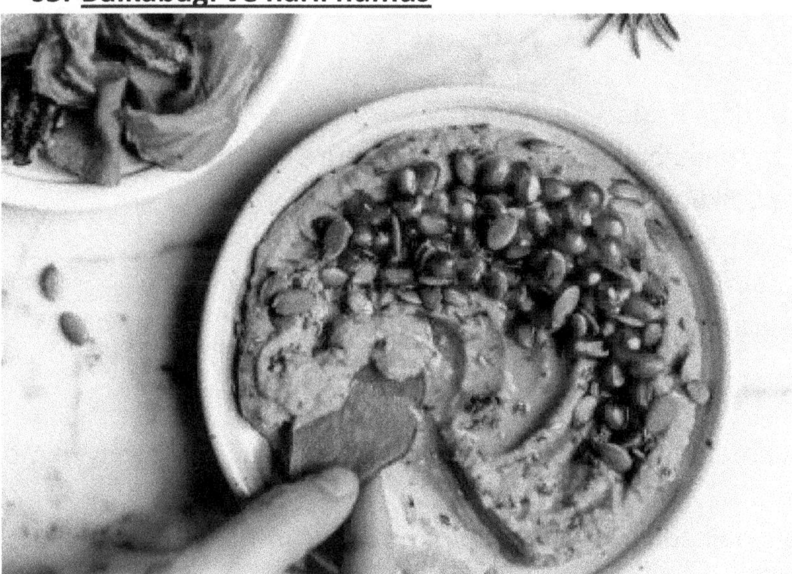

Yapım: 4 Porsiyon

İÇİNDEKİLER

- 1 su bardağı haşlanmış nohut
- 1 su bardağı balkabağı, pişmiş ve püre haline getirilmiş veya konserve balkabağı
- 2 yemek kaşığı Tahin, 1/3 bardak orig denir
- ¼ bardak Taze maydanoz, kıyılmış
- 3 diş sarımsak, kıyılmış
- 2 Nar

a) Pide ekmeği, bölünmüş ve ısıtılmış veya diğer krakerler, ekmek, sebzeler

b) Nohut, balkabağı, tahin, maydanoz ve sarımsağı pürüzsüz hale gelinceye kadar püre haline getirin.

c) Servis tabağına aktarın.

d) Narları ekmekle açın ve çekirdeklerini iç zarlarından ayırın. Tohumları, soğutulmuş veya oda sıcaklığında servis edilen humusun üzerine pide veya diğer "kepçeler" ile serpin.

64. Kıymalı Humus

Porsiyon: 8

İçindekiler

- 10 ons humus (1 sağlıklı yağ)
- 12 ons kuzu eti, öğütülmüş (2 yağsız)
- ½ bardak nar taneleri (1/2 sağlıklı yağ)
- ¼ bardak maydanoz, doğranmış (1/4 yeşil)
- 1 yemek kaşığı zeytinyağı (1/8 çeşni)

Talimatlar

a) Yağı bir tavada orta-yüksek ateşte pişirin, eti ekleyin ve sık sık karıştırarak 15 dakika kızartın.
b) Humus'u bir tabağa yayın, kıymayı her tarafına yayın, nar taneleri ve maydanozu da serpip pide ile atıştırmalık olarak servis yapın.

65. Muhammara

6 ila 8 kişilik (yaklaşık 1½ bardak yapar) | Aktif Süre 15 dakika
Toplam Süre 15 dakika
1 su bardağı közlenmiş kırmızı biber, doğranmış
½ bardak ceviz, kızarmış
⅓ bardak kraker kırıntısı
3 soğan, doğranmış
¼ fincan sızma zeytinyağı
1½ yemek kaşığı nar pekmezi
4 çay kaşığı limon suyu
1½ çay kaşığı kırmızı biber
1 çay kaşığı öğütülmüş kimyon
½ çay kaşığı sofra tuzu
⅛ çay kaşığı acı biber

Tüm malzemeleri mutfak robotunda homojen kaba püre oluşana kadar yaklaşık 15 saniye işleyin, işlemin yarısında kasenin kenarlarını kazıyın. Kaselere aktarıp servis yapın.

66. Nar ekşisi

İÇİNDEKİLER
4 su bardağı nar suyu
1/2 su bardağı şeker
1/4 bardak limon suyu
TALİMATLAR

Tüm malzemeleri bir tencerede birleştirin ve orta-yüksek ateşte kaynatın.

Isıyı azaltın ve karışım kalın ve şurup kıvamına gelinceye kadar ara sıra karıştırarak (yaklaşık 1 saat) kaynamaya bırakın.

Ateşten alın ve kullanmadan önce tamamen soğumasını bekleyin.

67. Nar Salsası

İÇİNDEKİLER

1 nar, çekirdeği çıkarılmış
2 olgun avokado, doğranmış
1 küçük kırmızı soğan, doğranmış
1 jalapeno biberi, çekirdeği çıkarılmış ve kıyılmış
2 yemek kaşığı doğranmış taze kişniş
2 yemek kaşığı limon suyu
Tatmak için tuz
TALİMATLAR

Büyük bir kapta tüm malzemeleri birleştirin ve yavaşça karıştırın.

Hemen servis yapın veya kullanıma hazır olana kadar soğutun.

68. Narlı Barbekü Sosu

İÇİNDEKİLER

2 bardak ketçap
1/2 su bardağı nar pekmezi
1/4 su bardağı elma sirkesi
1/4 bardak bal
1 yemek kaşığı Worcestershire sosu
1 çay kaşığı sarımsak tozu
1/2 çay kaşığı soğan tozu
Tatmak için biber ve tuz
TALİMATLAR

Orta boy bir tencerede tüm malzemeleri birleştirin ve pürüzsüz hale gelinceye kadar çırpın.

Orta ateşte, ara sıra karıştırarak, koyulaşana kadar (yaklaşık 20-25 dakika) pişirin.

Ateşten alın ve kullanmadan önce soğumaya bırakın.

69. Nar Sır

İÇİNDEKİLER

1 su bardağı nar suyu
1/2 bardak bal
1/4 bardak balzamik sirke
1/4 bardak soya sosu
2 diş sarımsak, kıyılmış
1 çay kaşığı rendelenmiş taze zencefil
Tatmak için biber ve tuz
TALİMATLAR

Küçük bir tencerede tüm malzemeleri birleştirin ve iyice birleşene kadar çırpın.

Orta ateşte, ara sıra karıştırarak, koyulaşana kadar (yaklaşık 15-20 dakika) pişirin.

Ateşten alın ve kullanmadan önce soğumaya bırakın.

70. Nar Hardalı

İÇİNDEKİLER

1/2 su bardağı sarı hardal tohumu
1/2 bardak nar suyu
1/4 su bardağı elma sirkesi
2 yemek kaşığı bal
1/2 çay kaşığı tuz
TALİMATLAR

Bir kapta hardal tohumlarını ve nar suyunu birleştirin. Örtün ve gece boyunca buzdolabında saklayın.

Bir blender veya mutfak robotunda ıslatılmış hardal tohumlarını, elma sirkesini, balı ve tuzu birleştirin. Pürüzsüz olana kadar karıştır.

Bir kavanoza aktarın ve kullanıma hazır oluncaya kadar buzdolabında saklayın.

71. Nar Salatası

İÇİNDEKİLER

1/4 su bardağı nar pekmezi
1/4 su bardağı kırmızı şarap sirkesi
2 yemek kaşığı Dijon hardalı
1 diş sarımsak, kıyılmış
1/2 çay kaşığı tuz
1/4 çay kaşığı karabiber
1/2 su bardağı zeytinyağı
TALİMATLAR

Küçük bir kapta nar pekmezi, kırmızı şarap sirkesi, Dijon hardalı, sarımsak, tuz ve karabiberi birlikte çırpın.

Sos emülsiyon haline gelinceye kadar sürekli karıştırarak zeytinyağını yavaşça gezdirin.

Bir kavanoza aktarın ve kullanıma hazır oluncaya kadar buzdolabında saklayın.

72. Nar Reçeli

İÇİNDEKİLER

4 su bardağı nar taneleri
1 su bardağı şeker
1/4 bardak limon suyu

TALİMATLAR
Bir tencerede nar tanelerini, şekeri ve limon suyunu birleştirin.

Orta-yüksek ateşte ara sıra karıştırarak kaynatın ve karışım koyulaşıp reçel kıvamına gelinceye kadar (yaklaşık 30-35 dakika) pişirin.

Ateşten alın ve kullanmadan önce soğumaya bırakın.

73. Nar Safran Aioli

İÇİNDEKİLER

1 yumurta sarısı
1 yemek kaşığı Dijon hardalı
1 diş sarımsak, kıyılmış
1/2 çay kaşığı tuz
1/4 çay kaşığı karabiber
1/2 su bardağı zeytinyağı
1/4 su bardağı nar suyu
1/4 çay kaşığı safran iplikleri
TALİMATLAR

Küçük bir kapta yumurta sarısını, Dijon hardalını, sarımsağı, tuzu ve karabiberi birlikte çırpın.

Karışım koyulaşana ve emülsifiye olana kadar sürekli karıştırarak zeytinyağını yavaşça gezdirin.

Ayrı bir kapta nar suyu ve safran ipliklerini safran eriyene kadar çırpın.

Safran karışımını aioli'ye katlayın ve kullanıma hazır olana kadar buzdolabında saklayın.

74. Narlı Tzatziki

İÇİNDEKİLER

1 bardak sade Yunan yoğurdu
1/2 su bardağı rendelenmiş salatalık
1 diş sarımsak, kıyılmış
2 yemek kaşığı doğranmış taze dereotu
2 yemek kaşığı nar taneleri
Tatmak için biber ve tuz

TALİMATLAR

Bir kapta Yunan yoğurdu, rendelenmiş salatalık, sarımsak, dereotu ve nar tanelerini birleştirin.

Tatmak için tuz ve karabiber ekleyin.

Servis yapmadan önce en az 1 saat buzdolabında soğutun.

75. Nar Turşusu

İÇİNDEKİLER

2 su bardağı nar taneleri
1/2 su bardağı doğranmış kuru kayısı
1/2 su bardağı doğranmış hurma
1/2 su bardağı kıyılmış ceviz
1/2 su bardağı şeker
1/2 su bardağı elma sirkesi
1 çay kaşığı rendelenmiş taze zencefil
1/2 çay kaşığı öğütülmüş tarçın
1/4 çay kaşığı öğütülmüş karanfil
1/4 çay kaşığı acı biber

TALİMATLAR

Bir tencerede tüm malzemeleri birleştirin ve orta-yüksek ateşte kaynatın.
Isıyı azaltın ve karışım koyulaşıp reçel kıvamına gelinceye kadar (yaklaşık 45-50 dakika) kaynamaya bırakın.
Ateşten alın ve kullanmadan önce soğumaya bırakın.

TATLI

76. Fıstıklı bisküvili nar taneleri

Yapar: 4-6

İÇİNDEKİLER

POSSET İÇİN

- 180ml nar suyu
- 600ml çift krema
- 135 gr pudra şekeri
- ½ limon kabuğu rendesi

BİSCOTTİ İÇİN

- 250 gr sade un
- 1 yemek kaşığı kabartma tozu
- 250 gr pudra şekeri
- 110 gr antep fıstığı
- ½ limon kabuğu rendesi
- 2 yumurta
- 1 yumurta sarısı

HİZMET ETMEK

- 50 gr nar taneleri
- 1 limon kabuğu rendesi ve

TALİMATLAR:

a) Posset'i hazırlamak için tüm malzemeleri orta boy bir tavaya koyun. Çırpma teli ile karıştırarak kaynatın, ardından ısıyı biraz kısıp 4 dakika pişirin.

b) Karışımı ince bir süzgeçten geçirin, bir kaşıkla veya kepçeyle süzerek pürelerinizin pürüzsüz ve temiz bir yüzey elde etmesini sağlayın ve ardından seçtiğiniz servis bardaklarına dökün.

c) Biscotti için un, kabartma tozu, şeker, antep fıstığı ve limon kabuğu rendesini karıştırın. Başka bir kapta yumurtaları ve yumurta sarısını birlikte çırpın.

d) Yumurtayı yavaş yavaş kuru malzemelere ekleyin ve hamur bir araya gelinceye kadar sürekli karıştırın. 3 cm derinliğinde oval şekilde açın ve buzdolabında 1 saat soğutun. Bu arada fırını 180C/350F/gaz işareti 4'e kadar önceden ısıtın.

e) Buzdolabından çıkarın ve pişirme kağıdıyla kaplı bir fırın tepsisine koyun. 20 dakika kadar fırında tuttuktan sonra soğumaya bırakın.

f) Soğuduktan sonra 1 cm kalınlığında dilimler halinde kesin. Dilimleri fırın tepsisine geri koyun, fırını 140C/275F/gaz işareti 1'e düşürün ve dilimler ortaya çıkana kadar 6-10 dakika pişirin. Çıkarın ve bir soğutma rafına yerleştirin.

g) Servis etmek için taze nar tanelerini, rendelenmiş limon kabuğu rendesi ve yanında bisküvi ile birlikte posetin üzerine koyun.

77. Nar taneleri ile gül beze

Yapar: 6-8

İÇİNDEKİLER

- 6 yumurta akı
- 300 gr pudra şekeri
- 1 yemek kaşığı mısır unu
- 1 çay kaşığı gül suyu
- 1 nar çekirdeği
- Pudra şekeri

TALİMATLAR:

a) Fırını 250F'ye önceden ısıtın.

b) Yumurta aklarını kaseye ekleyin ve orta hızda koyulaşana kadar çırpın. Şekerin üçte birini ekleyin ve daha yüksek hızda çırpın.

c) Şekerin üçte birini daha ekleyin ve şeker eriyene kadar çırpın.

d) Kalan şekeri ekleyin ve köpük parlaklaşıp sert tepeler oluşana kadar en yüksek hızda çırpın. Aşırı çırpmamaya dikkat edin, aksi takdirde beze çöker.

e) Tahta bir kaşıkla mısır ununu ve gül suyunu damak tadınıza göre karıştırın.

f) Fırın tepsisini fırın kağıdıyla kaplayın ve beze parçalarını istediğiniz şekilde düzenleyin.

g) Yaklaşık 2 saat pişirin.

h) Bezeyi fırından çıkarın ve soğuması için bir kenara koyun.

i) Servis yaparken üzerine nar taneleri ve bir tutam pudra şekeri serpip tadına bakın.

78. Nar ve tarçınlı Yunan yoğurdu

Yapar: 2

İÇİNDEKİLER

- 25 gr ceviz, kabaca doğranmış
- 300 gr Yunan yoğurdu
- 4 çay kaşığı bal
- ¼ nar taneleri
- Bir tutam öğütülmüş tarçın

TALİMATLAR:

a) Küçük, kuru bir tavada cevizleri lezzetlerini ortaya çıkaracak kadar hafifçe kızartın ve gevrekleştirin. Soğuması için bir kenara koyun.

b) Yoğurdu iki kaseye dökün, üzerine küçük bir avuç dolusu fındık atın, üzerine bal gezdirin ve üzerine nar taneleri ve tarçın serpin. Derhal servis yapın.

79. Nar ekşili hurma ve cevizli ekmek

Şundan oluşur: 10-12 dilim

İÇİNDEKİLER

- 185 gr çekirdeği çıkarılmış hurma, kabaca doğranmış
- 50ml tam yağlı süt
- 100ml nar pekmezi, ayrıca üzerine serpmek için ekstra
- 125 gr yumuşak açık kahverengi şeker
- 125g tuzsuz tereyağı, soğuk, küp şeklinde, ayrıca kalıp için ekstra
- 250g kendiliğinden kabaran un
- ½ çay kaşığı karbonat
- ¼ çay kaşığı karışık baharat
- büyük bir tutam öğütülmüş zencefil
- 2 orta boy yumurta, dövülmüş
- 75 gr ceviz, kabaca doğranmış
- servis için dondurma

TALİMATLAR:

a) Hurmaları bir kaseye koyun ve üzerine süt ve 150 ml kaynar su dökün ve bir saat bekletin.

b) Pekmezi ve şekeri bir tencereye alıp çok kısık ateşte şeker eriyene kadar ısıtın.

c) Fırını 180C'ye ısıtın ve tereyağını sürün ve 900gr'lık bir somun kalıbının tabanını ve uçlarını pişirme kağıdıyla kaplayın.

d) Soğuk tereyağını parmaklarınızla unun içine sürün veya küçük ekmek kırıntısı görünümü alana kadar mutfak robotunda çekin. Bikarbonatı ve baharatları karıştırın.

e) Yumurtaları ıslatılmış hurma ve sıvıyla birlikte pekmez şurubuna karıştırın, ardından kuru malzemelerle birlikte karıştırın.

f) Cevizlerin ⅔'ünü karıştırın. Kalıbın içine dökün ve kalan fındıkları üzerine serpin.

g) 45-55 dakika veya ortasına batırdığınız şişin üzerine yalnızca nemli kırıntılar yapışıncaya kadar pişirin. Biraz kararmaya başlarsa folyoyla örtün.

h) Soğuduktan sonra dondurma ve üzerine nar pekmezi serperek servis yapın.

80. Narlı Portakallı Muffin

Yapım: 12 muffin

İÇİNDEKİLER

- 8 yemek kaşığı tuzsuz tereyağı
- 2 ½ su bardağı çok amaçlı un
- 1 ½ çay kaşığı kabartma tozu
- ½ çay kaşığı karbonat
- ¼ çay kaşığı tuz
- ½ su bardağı toz şeker
- ¼ bardak esmer şeker
- ¼ çay kaşığı tuz
- 2 yumurta, hafifçe dövülmüş
- 1 bardak ayran
- 1 yemek kaşığı portakal kabuğu rendesi
- 1 çay kaşığı vanilya
- 2 su bardağı nar taneleri

TALİMATLAR

a) Fırını önceden 400 derece F'ye ısıtın ve muffin kalıplarını tereyağıyla yağlayın.

b) Büyük bir kapta un, kabartma tozu, kabartma tozu, şeker ve tuzu birlikte eleyin. Bir kenara koyun.

c) Orta boy bir tavada, orta ateşte, tereyağını eritin. Tereyağının eşit şekilde pişmesini sağlamak için ara sıra karıştırın. Tereyağı eridikçe köpürmeye başlayacak ve rengi koyulaşacaktır. Kahverengi lekelerin çıkması için tavanın altını sürekli olarak kazıyın. Fındık aromasını koklamaya başladığınızda, kızartılmış tereyağını ocaktan alın ve soğumasını bekleyin. Yanmamaya dikkat edin.

d) Ayrı bir kapta yumurtaları, ayranı, portakal kabuğu rendesini, vanilyayı ve çoğunlukla soğutulmuş kızartılmış tereyağını birlikte çırpın. Kuru malzemelerde bir havuz açın ve sıvı malzemeleri dökün. Birlikte katlayın ve fazla karıştırmayın. Nar tanelerini katlayın.

e) Yağlanmış muffin kalıplarına kaşıkla dökün ve önceden ısıtılmış fırında yaklaşık 20-30 dakika altın rengi kahverengi olana kadar pişirin.

f) Kek test cihazını muffinin ortasına yerleştirerek test edin ve hamurun tamamen piştiğinden emin olun. Pişirme bittiğinde, muffin kalıplarından hemen çıkarın ve soğutma rafında soğumaya bırakın.

81. Narlı Zencefil Şerbeti

1 Quart

İÇİNDEKİLER

- 1 su bardağı toz şeker
- ½ bardak su
- 1 yemek kaşığı kabaca doğranmış taze zencefil
- 2 su bardağı %100 nar suyu
- ¼ bardak St. Germain likörü isteğe bağlı

GARNİTÜR:

- isteğe göre taze nar taneleri

TALİMATLAR

a) Şekeri, suyu ve zencefili küçük bir tencerede birleştirin. Kaynatın, ısıyı azaltın ve şeker tamamen eriyene kadar ara sıra karıştırarak pişirin. Bir kaba aktarın, üzerini örtün ve buzdolabında tamamen soğumaya bırakın. Bu en az 20 ila 30 dakika veya daha uzun sürecektir.

b) Basit şurup soğuduktan sonra, şurubu büyük bir karıştırma kabının üzerine yerleştirilmiş ince delikli bir elekten geçirin. Zencefil parçalarını atın. Nar suyunu ve St. Germain likörünü şuruplu kaseye ekleyin. Birlikte iyice çırpın.

c) Karışımı üreticinin talimatlarına göre bir dondurma makinesinde çalkalayın. Şerbet koyu kıvamlı bir kıvama gelince hazır demektir.

d) Şerbeti hava geçirmez bir kaba aktarın, yüzeyi plastik ambalajla örtün ve 4 ila 6 saat daha veya ideal olarak gece boyunca dondurun. Taze nar taneleri ile süsleyip servis yapın.

82. Portakallı ve narlı cheesecake

Şundan oluşur: 8-10 dilim

İÇİNDEKİLER

- 250 gr sindirim bisküvisi
- 100 gr tereyağı, eritilmiş
- 600 gram tam yağlı krem peynir
- 3 portakalın kabuğu rendesi - dekorasyon için parçaları kesin
- 3 yemek kaşığı süt
- 100 gr pudra şekeri
- 150ml çift krema
- 1 nar çekirdeği

TALİMATLAR

a) Bisküvileri kabaca ezin; ya plastik bir yemek poşetine koyun ve oklavayla ezin ya da bir mutfak robotunda iri parçacıklar haline getirin. Bir kaseye aktarın, eritilmiş tereyağını ekleyin ve 23 cm'lik kelepçeli kalıba dökün. Tabanı oluşturmak için parmaklarınızı veya kaşığın arkasını kullanarak bisküvi karışımını eşit şekilde bastırın. Ayarlanana kadar soğutun, yaklaşık 30 dakika.

b) Yumuşak peyniri, kabuğu rendesini, sütü ve pudra şekerini bir kaseye koyun ve elektrikli bir karıştırıcı kullanarak pürüzsüz hale gelinceye kadar karıştırın. Kremayı ekleyip koyu muhallebi kıvamına gelinceye kadar çırpın. Bisküvi tabanının üzerine dolguyu dökün ve eşit şekilde yayın. Buzdolabına geri dönün ve en az 4 saat veya gece boyunca sertleşene kadar soğutun.

c) Servis etmek için portakal dilimlerini üstüne koyun ve nar tanelerini üzerine serpin.

83. Nar Kremalı Tart

Şundan oluşur: 8 dilim

İÇİNDEKİLER

- 1 adet buzdolabında yuvarlanan pasta kabuğu
- 8 ons krem peynir, yumuşatılmış
- 1 ½ su bardağı pudra şekeri
- 2 ½ su bardağı taze nar taneleri, 2-3 nardan
- 3 yemek kaşığı kızılcık reçeli veya kiraz
- 2 çay kaşığı mısır nişastası

TALİMATLAR

a) Fırını önceden 450 derece F'ye ısıtın. Çalışma yüzeyini unlayın ve pasta kabuğunu yavaşça açın. Daha sonra pasta kabuğunu 8 ila 9 inçlik bir tart tavasına dikkatlice yerleştirin.

b) Kabuğu tart kalıbının fistolu kenarlarına bastırın. Daha sonra fazla kabuğu kesmek için tavanın kenarına bastırın.

c) Kabuğun tabanını bir çatalla delerek pişirme sırasında kabarmasını önleyin. Daha sonra fırının ön ısınmasını beklerken soğuması için buzdolabında saklayın.

d) Fırın ısındığında, kabuğu altın rengi olana kadar yaklaşık 10 dakika pişirin. Doldurmadan önce tamamen soğutun.

e) Bu arada narların tanelerini çıkarın ve kabuklarını ve zarlarını atın.

f) 2 ½ bardak tanesini ölçün. Islaksa kağıt havluyla kurulayın.

g) Elektrikli stand mikserinin kasesine krem peyniri ve pudra şekerini ekleyin. Düşükten başlayın ve şekeri krem peynirle çırpın. Tüm kümeler ortadan kalkana kadar hızı artırın.

h) Hamur oda sıcaklığına soğuduktan sonra krema dolgusunu hamurun tabanına yayın. Sakin olmak.

i) Reçeli ve mısır nişastasını mikrodalgaya dayanıklı bir kaseye yerleştirin. İyice karıştırın, ardından eritmek ve malzemeleri karıştırmak için 1 dakika mikrodalgada tutun. Kaynıyor olmalı. Değilse, 30-60 saniye daha mikrodalgada tutun.

j) İyice karıştırdıktan sonra nar tanelerini de ekleyip karıştırın. İyice kaplanana kadar karıştırın. Nar tanelerini tartın yüzeyine yayın. 1 saat veya servis yapmaya hazır olana kadar soğutun.

84. Nar Elmalı Ayakkabıcı

Yapım: 4

İÇİNDEKİLER

- 1 bardak POM Harika %100 Nar Suyu
- 5 Granny Smith Elması; soyulmuş ve dilimlenmiş
- 1 bardak bal bölünmüş
- 1 çay kaşığı tarçın
- 2 yemek kaşığı mısır nişastası
- 2 yemek kaşığı az yağlı süt
- 1 su bardağı tam buğday unu
- 1 çay kaşığı kabartma tozu
- ½ bardak yulaf
- ⅓ bardak tereyağı; erimiş
- ¼ bardak şekersiz elma püresi
- 1 yumurta; hafif çırpılmış
- Dondurulmuş Vanilyalı Yoğurt ve Nar Çekirdeği; üzeri için isteğe bağlı

TALİMATLAR

o) Fırını önceden 375 derece F'ye ısıtın. 8 x 8 inçlik bir pişirme kabına hafifçe pişirme spreyi sıkın ve bir kenara koyun.

p) POM Wonderful %100 Nar Suyunu küçük bir tencerede, suyu azalıncaya kadar yaklaşık 10-15 dakika kaynatın. Yaklaşık ¾ bardağa kadar azalması gerekir.

q) Bu arada elmaları dilimleyip geniş bir karıştırma kabına koyun. Elmaların üzerine ½ bardak bal, ½ çay kaşığı tarçın ve ¼ bardak yulaf dökün. Elmalar kaplanana kadar tahta kaşıkla karıştırın. İndirgenmiş POM Wonderful %100 Nar Suyunu kaseye dökün ve elmalarla birlikte katlayın.

r) Küçük bir kasede süt ve mısır nişastasını birleşene kadar çırpın. Minimum topaklar olmalıdır. Elma kasesine dökün ve tüm malzemeler birleşene kadar karıştırmaya devam edin.

s) Üzeri için: Küçük bir kapta eritilmiş tereyağı, un, kabartma tozu, ¼ su bardağı yulaf, ½ su bardağı bal ve elma püresini hafif bir hamur oluşana kadar karıştırın. Biraz yapışkan olacak.

t) Hamuru elmaların üzerine dökün ve kaşıkla yayın. Bunun mükemmel olması gerekmiyor ve elmaların tamamını hamurla kaplamanız gerekmiyor. Ayakkabıcının üstünü bir yumurta ile fırçalayın.

u) Ayakkabı altın kahverengi olana kadar 30-35 dakika pişirin. Üzerine dondurulmuş yoğurt veya dondurma koyun ve üzerine taze nar taneleri serpin!

85. Nar panna cotta

İÇİNDEKİLER

- 1/2 paket taze krema
- 1 yemek kaşığı şeker
- 11/2 su bardağı süt
- 1 çay kaşığı jelatin
- 1 su bardağı nar suyu
- 1 çay kaşığı vanilya özü

TALİMATLAR:

a) Jelatini sütün üzerine serpip 10 dakika dinlendirin.
b) Kremayı ısıtın, şekeri ve vanilya özünü ekleyin
c) Jelatin karışımını karıştırın, bardağa dökün
d) Gece boyunca buzdolabına koyun
e) Nar suyunu ısıtın, jelatin karışımını ekleyin ve panna cotta'nızın üzerine dökün.
f) Gece boyunca buzdolabına koyun
g) Taze narlarla süsleyin

86. Balkabaklı Pasta Cheesecake Kaseleri

Yapım: 4

İÇİNDEKİLER

- 4 ons krem peynir, yumuşatılmış
- 1 bardak sade Yunan yoğurdu ve üzeri için daha fazlası
- 1 su bardağı kabak püresi
- ¼ bardak akçaağaç şurubu
- 1 çay kaşığı vanilya özü
- 2 çay kaşığı öğütülmüş tarçın
- 1 çay kaşığı öğütülmüş zencefil
- ½ çay kaşığı öğütülmüş hindistan cevizi
- Kaliteli Deniz tuzu
- 1 bardak granola
- Kavrulmuş kabak çekirdeği
- Doğranmış cevizler
- Nar taneleri
- Kakao parçacıkları

TALİMATLAR:

- Krem peyniri, yoğurdu, kabak püresini, akçaağaç şurubunu, vanilyayı, baharatları ve bir tutam tuzu bir mutfak robotu veya blenderin kasesine ekleyin ve pürüzsüz ve kremsi bir kıvama gelinceye kadar işleyin. Bir kaseye aktarın, üzerini örtün ve buzdolabında en az 4 saat soğutun.
- Servis etmek için granolayı tatlı kaselerine paylaştırın. Balkabağı karışımını, bir parça Yunan yoğurtunu, kabak çekirdeğini, cevizleri, nar tanelerini ve kakao çekirdeklerini ekleyin.
- Orta boy bir tencereye farroyu, 1¼ bardak suyu ve bir tutam tuzu ekleyin. Kaynatın, ardından ısıyı en aza indirin, kapağını kapatın ve farro hafif bir çiğneme ile yumuşayana kadar yaklaşık 30 dakika pişirin.
- Şekeri, kalan 3 yemek kaşığı suyu, vanilya çekirdeğini, tohumları ve zencefili küçük bir tencerede orta-yüksek ateşte birleştirin. Kaynatın, şeker eriyene kadar çırpın. Ateşten alın ve 20 dakika demleyin. Bu arada meyveleri hazırlayın.

- Greyfurtun uçlarını dilimleyin. Düz bir çalışma yüzeyine yerleştirin, tarafı aşağı bakacak şekilde kesin. Meyvenin kıvrımını takip ederek kabuğu ve beyaz özünü yukarıdan aşağıya doğru kesmek için keskin bir bıçak kullanın. Meyve parçalarını çıkarmak için zarların arasını kesin. Kan portakalını soymak ve parçalara ayırmak için aynı işlemi tekrarlayın.
- Zencefil ve vanilya çekirdeğini şuruptan çıkarın ve atın. Servis yapmak için farroyu kaselere bölün. Meyveleri kasenin üst kısmına yerleştirin, üzerine nar taneleri serpin ve ardından zencefil-vanilya şurubunu gezdirin.

87. Nar Portakallı Panna Cotta

Yapım: 8

İÇİNDEKİLER

- 1/2 bardak ağır krema
- 1 portakalın suyu ve kabuğu rendesi
- 1 çay kaşığı toz şeker
- 1/2 çay kaşığı iyi vanilya özü
- 1 1/2 bardak tam yağlı süt
- 1 yemek kaşığı toz jelatin
- 1 1/2 su bardağı nar suyu
- 1 yemek kaşığı toz jelatin
- 2 çay kaşığı toz şeker
- Süslemek için 1 nar çekirdeği

TALİMATLAR

a) Bir tencereye kremayı, portakal suyunu ve kabuğunu ekleyin ve orta ateşte pişirin. Şekeri ekleyip kaynamaya bırakın. Vanilyayı ekleyip karıştırın.

b) Küçük bir kaseye sütü ekleyin ve üzerine jelatini serpin. Yaklaşık 5 dakika kadar yumuşamasını bekleyin. Sütü ve jelatini kremanın içinde eriyene kadar karıştırın.

c) Karışımı boş bir yumurta kartonu veya muffin kalıbına yaslanmış bardaklara paylaştırın. En az 2 saat kadar buzdolabında bekletin, gece boyunca en iyisi.

d) Bu arada nar suyuna 1 yemek kaşığı jelatin ekleyin ve bir ölçü kabında 5 dakika kadar erimesini bekleyin. Şekerle birlikte tencereye alıp kaynamaya bırakın. Hafifçe soğumaya bırakın, tekrar ölçüm kabına dökün ve set halindeki panna cotta'nın üzerine dökün. Ayarlanana kadar buzdolabında saklayın.

e) Nar taneleri ile süsleyin.

88. Greyfurt Granitalı Narenciye Kompostosu

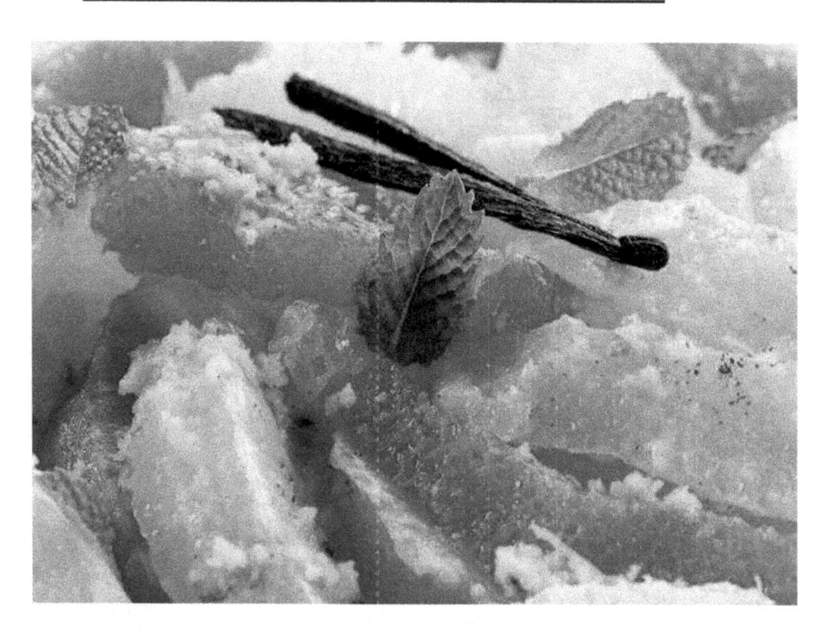

Yapım: 6

İÇİNDEKİLER

- 2 küçük greyfurt
- 1 ½ bardak yakut kırmızısı greyfurt suyu
- 1/3 su bardağı nar taneleri
- ½ bardak su
- ½ su bardağı hindistan cevizi şekeri
- 2 adet küçük göbekli portakal
- 2 mandalina

TALİMATLAR:

c) Küçük bir tavada su ve akçaağaç şurubunu kaynatın ve karıştırın.
d) Bir kenara koyun ve birkaç dakika soğumaya bırakın.
e) Greyfurt suyunu ekleyin ve iyice karıştırın. 8 inçlik kare bir tabağa aktarın ve 1 saat boyunca dondurun.
f) Çatalla karıştırın ve tamamen donuncaya kadar 2-3 saat daha dondurun. Her 30 dakikada bir karıştırın.
g) Her portakalın üstten ve alttan kesilmiş ince bir dilimi olmalıdır. Bir bıçak kullanarak portakalların kabuğunu ve dış katmanını çıkarın.
h) Portakal ve greyfurta soyulmuş ve dilimlenmiş klementinler eklenmelidir. Nar tanelerini yavaşça karıştırın.
i) Servis yaparken granitayı karıştırmak için bir çatal kullanın. Granita ve meyve karışımını dönüşümlü olarak altı tatlı tabağına katlayın.

İÇECEKLER

89. Narlı Kombucha

Üretir: 1 Galon

İÇİNDEKİLER

- 14 bardak su, bölünmüş
- 4 siyah çay poşeti
- 4 yeşil çay poşeti
- 1 su bardağı şeker
- 1 SCOBY
- 2 bardak başlangıç çayı
- 1 bardak nar suyu, bölünmüş
- 2 çay kaşığı taze sıkılmış limon suyu, bölünmüş
- 4 dilim taze zencefil, bölünmüş

TALİMATLAR:

a) Büyük bir tencerede, 4 bardak suyu orta ateşte 212°F'ye ısıtın, ardından tavayı derhal ocaktan alın.

b) Siyah ve yeşil çay poşetlerini bir kez karıştırarak ekleyin. Tencerenin kapağını kapatın ve çayın 10 dakika kadar demlenmesini sağlayın.

c) Çay poşetlerini çıkarın. Şekeri ekleyin ve şekerin tamamı eriyene kadar karıştırın.

d) Çayı soğutmak için kalan 10 bardak suyu tencereye dökün. Devam etmeden önce sıcaklığın 85°F'ın altında olduğundan emin olmak için sıcaklığı kontrol edin.

e) Çayı 1 galonluk bir kavanoza dökün.

f) Ellerinizi yıkayıp iyice durulayın, ardından SCOBY'yi çayın yüzeyine koyun ve başlangıç çayını kavanoza ekleyin.

g) Temiz beyaz bir bez kullanarak kavanozun ağzını kapatın ve lastik bir bantla yerine sabitleyin. Kavanozu 7 gün boyunca mayalanması için 72°F civarında sıcak bir yerde bırakın.

h) 7 gün sonra kombuchanın tadına bakın. Çok tatlıysa bir veya iki gün daha mayalanmasına izin verin. Kombucha'nın tadı size güzel geldiğinde, SCOBY'yi çıkarın ve gelecekte kullanmak üzere saklayın.
i) Kombuchanın geri kalanını tatlandırmadan önce bir sonraki parti için 2 bardak kombuchayı ayırın.

90. Limon Nar Likörü

Yapım: 4

İÇİNDEKİLER

- 1 su bardağı nar taneleri
- 750 ml votka
- 1 limon, dilimler halinde kesilmiş

TALİMATLAR:

a) Tüm malzemeleri bir kavanozda birleştirin.

b) Beş gün boyunca dik, her gün sallayarak,

c) İnfüzyon bileşenlerini süzün.

91. Salatalık Nar temizleyici

Yapım: 2 Porsiyon

İÇİNDEKİLER

- 1 salatalık, doğranmış
- 1 limon, dilimlenmiş
- ½ su bardağı nar suyu

TALİMATLAR:

a) Malzemeleri bir sürahiye veya cam kavanoza koyun.
b) 2 saat boyunca dik.

92. Pom meyve suyu

Yapım: 2 Porsiyon

İÇİNDEKİLER

- su
- ½ bardak nar
- ¼ bardak taze ahududu

TALİMATLAR:

a) Malzemelerinizi bir sürahiye koyun.

b) Bir kaşık kullanarak bunları ezin.

c) Sürahiyi temiz suyla doldurun.

d) İyice karıştırıp buzdolabınıza koyun.

93. Ombré Nar İksiri

Yapım: 4

İÇİNDEKİLER

- 16 ons portakal suyu
- 4 ons kızılcık suyu
- 2 yemek kaşığı zencefil suyu
- 3½ ons taze yaban mersini + süslemek için ekstra meyveler
- 8 ons nar suyu
- 4 yemek kaşığı şeker veya tadı

TALİMATLAR:

a) Portakal, kızılcık ve zencefil sularını birleştirin.
b) Soğuyuncaya kadar örtün ve soğutun.
c) Yaban mersinlerini nar suyu ve şekerle birlikte blenderda püre haline getirin.
d) Buzdolabında soğutun.
e) Portakal-kızılcık-zencefil suyu karışımını 4 bardağa dökün.
f) Üzerine nar-yaban mersini püresi ekleyin.
g) Taze yaban mersini ile süsleyerek servis yapın.

94. Nar Sangria

Yapım: 4

İÇİNDEKİLER

- 16 ons nar suyu
- 4 ons kızılcık suyu
- 7 ons doğranmış karışık meyve
- 1 yemek kaşığı ince şeker
- 2 limonun suyu kırılmış buz
- Süslemek için 9 adet nane yaprağı

TALİMATLAR:

a) Nar suyu, kızılcık suyu, doğranmış meyveler, şeker ve limon suyunu birleştirin.
b) İyice karışana kadar karıştırın.
c) Soğuyuncaya kadar örtün ve soğutun.
d) Nane yapraklarıyla süslenmiş, kırılmış buz üzerinde servis yapın.

95. Nar Karpuz Suyu

Yapım: 2 Porsiyon

İÇİNDEKİLER

- 1 su bardağı nar taneleri
- ⅓ orta boy karpuz
- 12 çilek
- 4 dal nane

TALİMATLAR:

a) Karpuzun kabuğunu çıkarın.

b) Tüm malzemeleri meyve suyu makinenizden geçirin.

96. Yumuşak Yaz Suyu

Yapım: 2 Porsiyon

İÇİNDEKİLER

- 1 bardak yaban mersini
- 1 yemek kaşığı taze nane yaprağı
- ½ bardak nar taneleri
- ¼ orta boy karpuz

TALİMATLAR:

a) Başlamak için karpuzun kabuğunu çıkarın.

b) Malzemeleri durulayın ve bir meyve sıkacağından geçirin. İyice soğutulmuş olarak servis yapın.

97. Üzüm Nar Suyu

Yapım: 2 Porsiyon

İÇİNDEKİLER

- 1 su bardağı taze nar suyu
- 1 limon, soyulmuş
- 2 su bardağı kırmızı üzüm
- 4 yaprak pancar yeşillikleri

TALİMATLAR:

a) Malzemelerin suyunu sıkıp servis bardaklarına alın.

98. Düşük Kalorili Kaktüs Smoothie

Yapım: 1–2 porsiyon

İÇİNDEKİLER

- ½ su bardağı temizlenmiş ve doğranmış kaktüs parçaları
- 1 su bardağı nar suyu

TALİMATLAR:

a) Kaktüs parçalarını soğuk akan su altında iyice durulayın ve meyve suyu ve buzla birlikte bir karıştırıcıya koyun.

b) Tamamen sıvılaşana kadar 1-2 dakika karıştırın.

99. Misket limonu jöle ile nar Boba

1 bardak

İÇİNDEKİLER

- 1 yeşil çay poşeti
- 250 ml sıcak su
- 1 limon, suyu sıkılmış
- 2 yemek kaşığı bal
- Nar
- Misket limonu jölesi
- Buz küpleri

TALİMATLAR:

a) Yeşil çay poşetinizi 15 dakika sıcak suda bekletin, ardından limon suyu ve balı ekleyerek karıştırın.
b) Çay tabanınızı soğumaya bırakın.
c) Ayrı bir bardağa hazırladığınız taze meyveleri, buz küplerini ve limonlu jöleyi kaşıkla dökün.
d) Çay tabanınızı soslarınızın üzerine dökün ve keyfini çıkarın!

100. Antioksidan acai meyveli smoothie

İçindekiler

HAZIRLIK İÇİN

- 2 (3,88 ons) paket dondurulmuş acai püresi, çözülmüş
- 1 su bardağı dondurulmuş ahududu
- 1 su bardağı dondurulmuş yaban mersini
- 1 su bardağı dondurulmuş böğürtlen
- 1 su bardağı dondurulmuş çilek
- ½ bardak nar taneleri

HİZMET ETMEK

- 1½ su bardağı nar suyu

Talimatlar

a) Acai, ahududu, yaban mersini, böğürtlen, çilek ve nar tohumlarını geniş bir kapta birleştirin. Karışımı 4 adet kilitli buzdolabı poşetine paylaştırın. Hizmet vermeye hazır olana kadar bir aya kadar dondurun.

b) Bir torbanın içeriğini bir karıştırıcıya yerleştirin, bol miktarda ⅓ bardak nar suyu ekleyin ve pürüzsüz hale gelinceye kadar karıştırın. Derhal servis yapın.

ÇÖZÜM

Nar Yapar: tatlı, mayhoş tatlar ve güzel renklerle lezzetli ve sağlıklı bir atıştırmalık. Narlar, portakal büyüklüğünde, yuvarlak, kırmızımsı kahverengi meyvelerdir. Meyveyi ikiye böldüğünüzde iç kısmı sulu, keskin etle çevrelenmiş çok sayıda küçük tohumla dolar. Tane olarak bilinen bu tohumlar nar suyu içerir. Diğer meyvelerden farklı olarak narın yenilebilir tek kısmı çekirdeğidir. Bu eşsiz meyve, çeşitli lezzetli şekillerde kullanılabilir ve bu yemek kitabı size en iyi fikirleri sunacaktır!

Milton Keynes UK
Ingram Content Group UK Ltd.
UKHW020657220923
429186UK00014B/768